JOICE HASSELMANN
Jornalista. Colunista de política. Fenômeno da Web.

SÉRGIO MORO

A história do homem por trás da
operação que mudou o Brasil

São Paulo
2016

UNIVERSO DOS LIVROS

Copyright © 2016 by Universo dos Livros
Todos os direitos reservados e protegidos pela Lei 9.610 de 19/02/1998.

Nenhuma parte deste livro, sem autorização prévia por escrito da editora, poderá ser reproduzida ou transmitida sejam quais forem os meios empregados: eletrônicos, mecânicos, fotográficos, gravação ou quaisquer outros.

2ª edição

Diretor editorial: **Luis Matos**
Editora-chefe: **Marcia Batista**
Assistentes editoriais: **Aline Graça e Letícia Nakamura**
Preparação: **Nestor Turano Jr.**
Revisão: **Juliana Gregolin e Guilherme Summa**
Arte: **Francine C. Silva e Valdinei Gomes**
Capa: **Zuleika Iamashita**

Dados Internacionais de Catalogação na Publicação (CIP)
Angélica Ilacqua CRB-8/7057

H281s
    Hasselmann, Joice
    Sérgio Moro : a história do homem por trás da operação que mudou o Brasil / Joice Hasselmann. – São Paulo : Universo dos Livros, 2016.
    208 p.
    2ª edição

    ISBN: 978-85-503-0021-4

    1. Juízes – Brasil – Biografia 2. Corrupção política – Brasil 3. Investigação policial I. Título

16-0507   CDD 923.4

Universo dos Livros Editora Ltda.
Rua do Bosque, 1589 – Bloco 2 – Conj. 603/606
CEP 01136-001 – Barra Funda – São Paulo/SP
Telefone/Fax: (11) 3392-3336
www.universodoslivros.com.br
e-mail: editor@universodoslivros.com.br
Siga-nos no Twitter: @univdoslivros

SUMÁRIO

Agradecimentos 7

Prefácio O bom combate ao poder do crime – por José Nêumanne Pinto 9

1. Por que decidi escrever este livro 13
2. Moro ameaçado – o caso Lula 19
3. Um grande estrategista – o passado do juiz 43
4. O homem que trabalhou do Mensalão ao Petrolão 67
5. Os golpes contra Moro na Lava Jato 99
6. O processo de impeachment de Dilma e o papel do juiz 111
7. O que dizem sobre ele? A mãe e a esposa de Moro 127
8. O rosto presente nas manifestações 137
9. O Brasil antes e depois de Moro 149
10. Todos contra a corrupção 179
11. Como será o Brasil daqui para frente? 189

Anexo 193

Bibliografia 207

A Sérgio Moro, homem que ajudou a devolver a esperança à nação brasileira.

Ao povo deste país, que não desistiu de lutar.

E a você, meu Daniel,

minha eterna gratidão.

AGRADECIMENTOS

Fazer um livro em tão pouco tempo só é possível com a ajuda de pessoas especiais.

Agradeço ao apoio incondicional da minha família, em especial à Gabriela, ao Davi e ao Daniel, que abriram mão de um tempo importante e escasso – que a princípio seria dedicado a eles – para que eu me dedicasse a esta obra.

Agradeço a oportunidade de entrar neste projeto, que me foi oferecido pela minha querida editora, Marcia Batista. Sem ela, nada disso teria sido possível.

Não posso deixar de mencionar pessoas próximas ao juiz Sérgio Moro. Amigos, conterrâneos, parentes, cidadãos brasileiros que preferiram ficar anônimos, mas que contribuíram e muito para passar informações sobre a intimidade, a vida e a história desse homem que ajudou a mudar o Brasil.

Por fim, agradeço aos milhares de seguidores que estão comigo todos os dias e que têm me apoiado em todos os momentos. Que este livro seja um sucesso para todos nós. Vamos juntos com Sérgio Moro, Brasil!

PREFÁCIO

O BOM COMBATE AO PODER DO CRIME

A margem de erro da missão do juiz federal Sérgio Fernando Moro é bem próxima de zero. Cabe-lhe analisar com rigor e justiça investigações da Polícia Federal, acusações do Ministério Público Federal e provas que essas repartições coletaram para julgar delitos e punir ou inocentar acusados de havê-los cometido. Na aparência, seu trabalho é similar ao de qualquer colega dele em qualquer instância, comarca ou tribunal. De fato, contudo, demanda maior responsabilidade e tem um alcance social e público mais amplo do que a de uma ação corriqueira, pois ele lida com malfeitos de muita sofisticação e alta tecnologia, que não se aprende em nossas melhores escolas de Direito, nem mesmo nas instituições de maior excelência do mundo.

Os eventuais delitos cometidos por suspeitos, denunciados, acusados e réus do escândalo que cabe a Moro julgar dizem respeito à formação de uma quadrilha muito ramificada e com bandidos poderosos de colarinho branco, que roubaram bilhões de reais de dinheiro público. Para evitar que fossem descobertos, tentaram tornar lícito o dinheiro imundo. A lavagem do butim é um crime contábil muito difícil de ser investigado, pois exige perícia, experiência, sensatez e honradez incomuns. Detectá-la, rastreá-la e, sobretudo, comprová-la, exige perícia e atenção para evitar que os gestores públicos em altos cargos envolvidos com o bando possam causar graves danos à carreira e à vida do magistrado. A velha prática de criar dificuldades para vender facilidades é coisa do passado. Os valores devassados pela força-tarefa da Lava Jato, que Moro conduz, tornam a cobrança de propinas por agentes da lei para que façam vista grossa à atividade criminosa, como policiais de Chicago nos anos 30, na vigência da Lei Seca nos EUA, comparável a uma atividade infanto-juvenil. Assim como as comissões cobradas desde tempos imemoriais por empresas privadas que prestam serviços ou edificam obras para o governo.

Antes já era difícil punir corruptos na máquina pública ou no setor privado, havendo poucos registros históricos dessas práticas. Relatos clássicos de corrupção policial registram poucos episódios em que a lei, afinal, se impôs. Seu exemplo mais óbvio foi a tarefa do agente federal Eliot Ness, que só conseguiu comprovar a atividade ilícita do ítalo-americano Al Capone ao flagrar delitos fiscais, nunca tendo o gângster sido condenado pelos crimes de morte resultantes da atividade de sua gangue.

Em nossos tristes trópicos, corruptos apenados pelos crimes praticados são contados nos dedos e seus autores tornaram-se célebres (alguns até celebrados), tão raros são os escândalos que foram trazidos a lume. Moisés Lupion e Haroldo Leon Peres merecem citação no curto espaço deste prefácio por terem nascido no mesmo Estado natal do juiz, da autora e do doleiro Alberto Youssef, cuja delação premiada muito contribuiu para que o caso saísse da estaca zero.

Este perfil jornalístico, que resulta em bem apurada biografia do juiz da Operação Lava Jato, será na certa consultado para outras biografias e até tratados sociológicos, historiográficos e da ciência política. Sua maior qualidade é dar ao trabalho do juiz a dimensão de seu êxito, que se explica pelo tamanho e pela especificidade da operação que conduz.

Sob o império da impunidade, reuniu-se uma organização criminosa que assaltou com método e volúpia estatais gigantescas, bancos públicos e órgãos conexos à gestão federal, como os fundos de pensão. Para identificar e punir os burocratas que facilitaram o crime, os empresários que lucraram com ele e os políticos que deles se beneficiaram, Moro empregou seus profundos conhecimentos sobre a matéria que julgou. E tudo isso só foi possível, como mostra Hasselmann no texto, mercê de muita coragem e de uma sólida formação pessoal. O modelo familiar que serve de base a Moro, a Hasselmann e aos brasileiros honestos possibilita este bom exemplo que brilha no pântano e é exposto nesta obra: o do bom combate da moral cidadã contra o vil metal, que o poder do crime tenta, felizmente em vão, limpar.

José Nêumanne Pinto
Jornalista, poeta e escritor

1.

POR QUE DECIDI ESCREVER ESTE LIVRO

Sou jornalista que nasceu e passou boa parte da infância no Paraná, terra de Sérgio Moro. Durante dez anos fui levada pelos meus pais para outros estados. De volta à terra natal, ingressei no jornalismo. Eu nem imaginava uma mudança de rumos assim, considerando que os planos iniciais eram outros. Tudo se desenhava para que eu fosse médica e, com um pouco de sorte e dedicação, neurocirurgiã, mas o jornalismo me escolheu e fui abrindo portas com muito esmero e coragem. Não foi fácil! Afinal, eu era apenas uma menina anônima enfrentando desafios, indivíduos corruptos e lutando pela verdade.

Ainda acadêmica, tive a sorte de ser diretora e âncora da CBN Ponta Grossa, depois de me dedicar à reportagem política. Uau! Foi uma realização na época. Depois, recém-formada, minha casa foi a BandNews FM Curitiba. Lá, fui repórter; na sequência, coordenadora; meses depois, âncora e, por fim, assumi a direção da rádio. Muito cedo, comecei a desvendar os caminhos tortuosos da política brasileira, mergulhada em corrupção, tornando-me também colunista e, com orgulho, uma das mais importantes e mais críticas do meu estado.

Lá na minha terra, e com meu Olho no olho, entrevistei deputados, senadores, governadores, ministros, enfim, políticos influentes que tinham muito a explicar. Sempre fiz perguntas diretas e que vão ao ponto das questões que realmente importam para o povo brasileiro. Jornalismo de verdade se faz assim. O resto é conversa de comadres.

Fui premiada nacional e internacionalmente,[1] o que muito me emocionou. Tive uma grande passagem pela revista *Veja*, graças ao meu apreço pela inovação, ajudei a criar por lá a primeira TV com grade fixa na internet brasileira, a TVeja. Morando em São Paulo, trouxe comigo minhas fontes de Curitiba que permaneciam fiéis. Elas nunca me decepcionaram e o contato rotineiro com os detalhes da Operação Lava Jato fazia parte do meu dia a dia.

O juiz Sérgio Moro é da minha cidade, do meu querido estado, é *bicho do Paraná*. E foi esse homem que começou a mudar o Brasil, punindo com o rigor da lei corruptos e corruptores. Aqueles que corroem o país nunca mais teriam a liberdade de antes para cometer crimes. Jamais manteriam a certeza da impunidade.

---

1 O prêmio internacional é o Parceiros da Paz e da Sustentabilidade da ONU, referente ao ano 2012. A autora também recebeu o Prêmio Mulher Empreendedora de Curitiba 2010 e a Medalha Patriótica da Sociedade Civil Brasileira 2016. (N. E.)

Não importa se são grandes empresários, empreiteiros, se são poderosos, se têm mandato, se são do governo do PT, ou da cúpula de qualquer outro partido. Moro aplica a lei e pronto. O juiz da Lava Jato está reinventando o governo e ensinando ao Brasil que, sim, podemos ter esperança.

Na onda do impeachment da presidente Dilma, decidi então escrever este livro para mostrar não somente as entranhas da operação que mudou o Brasil, mas também falar mais dessa figura que hoje é vista como um herói nacional, e mais, um líder mundial.

As ruas reconheceram a atuação de Moro, a força desse homem, mas tudo isso surgiu com base no trabalho obstinado e dedicado dele na Justiça, pelo qual ele não poupou esforços. Esse grande brasileiro modernizou o processo jurídico por meio de delações premiadas que mostraram a podridão dos esquemas entre os poderes público e privado que imperavam como regra do jogo. O Petrolão foi desvendado. Sob o julgamento dele nenhum poderoso saiu impune ao martelo da Justiça brasileira. O Brasil começava a se erguer.

Dizem que sou uma jornalista ativista. Já me acostumei com o rótulo um tanto quanto pejorativo. Quem se dobra às críticas ou aos elogios excessivos tem uma grande chance de errar. Prefiro ter cautela nos dois casos, mas de queixo erguido assumo esse ativismo contra a corrupção. E é com esse objetivo que quero explicar melhor a você quem é Sérgio Moro. Quem é esse homem que tornou possível o desmonte de um gigantesco esquema de corrupção que sangrou aquela que já foi a maior estatal brasileira. A Petrobras foi destruída e os tentáculos da corrupção se espalharam pelos grandes negócios fechados pelo poder público.

O descortinar do Petrolão mostrou que o esquema é antigo e foi levado adiante como uma devoção criminosa por dilapidar o patrimônio público. A operação que devastou a corrupção brasileira expôs também um governo montado para sugar o patrimônio público, um método criminoso para a manutenção do poder. A exposição corajosa da verdade levou a nação às ruas e fez com que o Congresso e o Judiciário enfim trabalhassem juntos com o povo para que a lei fosse cumprida.

Consequentemente, houve o desmoronamento do governo de Dilma Rousseff, que presidiu o *país dos esquemas* e protagonizou o papel de pior governante da história da nação. A petista, seja por omissão, seja por ação, abraçou um dos maiores casos de corrupção que se tem registro – em detalhes – no mundo. Sérgio Moro fez mais que expor a verdade. Ele prestou um grande serviço humanitário, social e político ao país. Acredite, o Brasil jamais será o mesmo depois de Moro.

É necessário contar bem essa história para que fique claro quem ele é, como tornou essa operação possível e como tudo evoluiu até chegar ao descontentamento massificado pelo PT, simbolizado pela destituição de Dilma. É preciso que Moro entre para a História como a figura que ele realmente é. Que a verdade seja dita. Os ataques à reputação dele são previsíveis, *modus operandi* daqueles que divergem de sua visão.

Decidi escrever este livro para mostrar a alma do homem que existe por trás da operação judicial que mudou o país. Teria ele motivações para agir com justiça diante dos políticos? Existiram momentos em que ele pensou em desistir? Como Moro fez para manter a serenidade diante de ataques covardes que sofreu por parte da imprensa e dos defensores desse governo criminoso? Moro pretende limpar toda a corrupção do Brasil? O menino que sempre gostou de super-heróis se sente um herói?

Leia para descobrir o grande personagem que existe por trás da Operação Lava Jato. E viva o combate à corrupção!

2.

MORO AMEAÇADO – O CASO LULA

Como a Lava Jato chegou ao núcleo do Partido dos Trabalhadores? O que isso mudou na vida de Moro? E como eu senti que existia uma história a ser contada naquele evento que mudou o rumo da Justiça brasileira?

Em 26 de abril de 2016, o juiz federal Sérgio Fernando Moro e sua esposa, Rosângela Wolff Moro, participaram de um evento de gala em Nova York, no coração dos Estados Unidos, promovido pela revista americana *Time*. O jantar homenageou as cem personalidades mais influentes do mundo eleitas pela própria publicação.

Moro, aos 43 anos, deu declarações breves à TV Globo, e sua esposa chamou atenção pela beleza e simpatia com todos que cercavam seu marido. O FBI fez a escolta do casal. O sorriso do juiz não refletia a turbulência que havia sido seu trabalho nos últimos meses.

Sem medo de autoridades da República, Sérgio Moro recebeu o merecido reconhecimento nos EUA, que veio da maior e mais respeitada revista semanal do mundo. Muito além das capas nas publicações brasileiras, o mundo estava vendo o trabalho revolucionário que a Lava Jato havia feito contra a corrupção.

Mas nem tudo são flores.

Cerca de um mês antes, o juiz passara apuros que mudaram permanentemente a história do país. Ele ousou peitar o poder e entrou num caminho sem volta.

Decisões difíceis foram tomadas pelo magistrado paranaense. No entanto, tais deliberações eram baseadas nas necessidades do povo e da nação brasileira.

Uma data foi responsável por essa alteração.

O DIA DA CONDUÇÃO COERCITIVA

4 de março de 2016 foi um dia que mudou a vida pública do juiz Sérgio Moro. Às 6h da manhã, a Polícia Federal deslocou um efetivo de duzentos homens para realizar a condução coercitiva do ex-presidente Luiz Inácio Lula da Silva, líder histórico do PT.[2]

O petista já havia feito manobras para fugir de outros depoimentos. A condução coercitiva foi autorizada, caso Lula se negasse a colaborar. Previsivelmente, ele se negou. A polícia cumpriu a ordem. O pai do PT, a representação da maior liderança do partido, foi levado na marra para depor.

Foi um depoimento olho no olho com as principais autoridades da Operação Lava Jato.

Eu já gravava vídeos no Facebook, cujo alcance ultrapassava a casa dos milhões, graças à fidelidade de um povo que precisava de informações verídicas num momento

---

2 A força-tarefa da Lava Jato justificou o uso significativo de policiais para evitar conflitos entre militantes no local da condução. (N. E.)

único na História. E sabia que Moro estaria a partir dali na linha de frente contra gente raivosa, vingativa e poderosa, sem qualquer escrúpulo ou ética – um bando capaz de qualquer coisa para se manter no poder. Naquele dia, divulguei um vídeo no qual fazia um apelo às pessoas, pedindo para que ficassem ao lado de Moro, uma vez que ele certamente seria atacado.

Ele fez o que ninguém teve coragem até então, mesmo sabendo que a retaliação viria. E ela veio. Lula, com seus seguidores, iniciou uma campanha violenta para tentar destruir a reputação de Moro. O modo covarde de agir quando não há argumentação é sempre o mesmo: mentiras contadas repetidas vezes e de maneiras diferentes.

O uso da imprensa paga, a união daqueles que fazem parte de esquemas, que são coagidos ou que levam vantagens em torno das manipulações de informações para atingir a reputação do desafeto. Simples. Rasteiro. Sempre o mesmo jogo. Comecei o vídeo assim: "Olá, pessoal, hoje é sexta-feira, dia em que Lula foi levado pela força-tarefa da Lava Jato para prestar o primeiro depoimento com os promotores e com a Polícia Federal (PF). Este vídeo é de apoio a uma das figuras mais importantes deste Brasil".

Era nítido que o contra-ataque viria. Eu não poderia me acovardar e nem entrar na onda de parte da imprensa que previsivelmente atacaria Moro. Jornais chamaram a Lava Jato de *show*. Alguns colunistas criticaram o juiz mais corajoso que nossa história já viu até agora. Exerci meu papel. Fiquei do lado da verdade e da lei.

A vida de Sérgio Moro estava mudando radicalmente naquele dia. O Brasil, antes deitado em berço esplêndido, agora afundava no poço da corrupção. Porém, ainda havia uma chance de despertar para a realidade, a partir do combate real à corrupção que foi levada para as entranhas da política, do governo e que, como a história mostra, faz parte do DNA do PT. Era preciso romper o ciclo. Sérgio Moro começou. Quem imaginaria que, num passado recente, o ex-todo-poderoso Lula seria levado à força para depor. Apesar de sermos todos iguais perante à lei, alguns se sentiam mais iguais que outros. A partir daquele dia, sabia-se que qualquer um poderia ser investigado e responderia por seus atos. E não era uma história de *faz de conta*. A Lava Jato chegou ao núcleo de um círculo de poder corrupto. A história da política brasileira estava mudando.

Meu telefone não parou de tocar naquele dia. Pouco depois de todos os principais jornais e televisões terem coberto aquele evento, recebi ligações preocupantes. "Já estão ameaçando ele, Joice", "precisamos ficar em cima".

Concordei com minhas fontes. Era hora de ficar em total estado de atenção. Acompanhei o caso de perto, sempre dando o meu apoio a um dos homens mais honestos que vi em ação na cena pública.

Todas as redações estavam em alerta. Algumas para criticar. Outras, esperando o desfecho. Não se deixou de falar sobre Lula e Moro naquela semana. E, mesmo após um mês, o assunto se manteve o mesmo.

Aquela condução coercitiva do ex-presidente mostrava que a visão da Justiça, que não deveria ver diferença entre os partidos e as ideologias, entre os poderosos e os ditos *comuns*, estava finalmente se fazendo valer. E o nosso juiz do Paraná era o líder nesse processo. É inegável. Criticando-o ou não, verdade seja dita: ele foi único, assim como os heróis de verdade.

Daquele dia em diante, Moro precisou reforçar a segurança. Durante muito tempo ele abriu mão de andar escoltado, resistia a mudar sua rotina, a deixar a bicicleta de lado para ir ao trabalho, ou a renunciar do dia a dia de um homem simples, com passeios no shopping ou uma ida ao supermercado. As coisas estavam diferentes. As ameaças se intensificaram. Os radicais de esquerda começaram um bombardeio pelas redes sociais. A ordem alardeada pelo Twitter e Facebook era: "Matem Moro". Apenas barulho? Talvez, mas nosso juiz não podia correr mais riscos. O Brasil precisava ainda mais dele. Ele passou a andar cercado por seguranças. Era o preço a pagar pela coragem, por mexer com o chefe do PT, até então intocável. Ele pagou e, naquele momento, estava mudando a história do Brasil, de fato.

O homem que sempre fora muito discreto, com sorriso de menino, recuou ainda mais para uma tentativa de ficar no ostracismo. Difícil para quem desempenhava um papel que chamava a atenção do mundo. O trabalho de Moro brilhava no noticiário, mas ele sempre preferiu a discrição. Ainda assim era perseguido pela imprensa, pelos admiradores e, obviamente, pelos críticos. Moro conseguiu reunir uma legião de fãs da justiça, da esperança, da fé.

Querer um Brasil melhor deixou de ser expressão na retórica de candidatos, e passou a ser um sentimento de verdade. Cada palestra dele era cercada de pessoas que queriam mostrar sua admiração. No Brasil todo, o número de apoiadores de Moro crescia exponencialmente. O país começava a acreditar em mudanças.

E VEIO A TENTATIVA DE GOLPE DA JARARACA!

Lula, depois de prestar depoimento no Aeroporto de Congonhas, colocou a tropa de choque em ação.[3] Ele incitou a militância a reagir, ao mesmo tempo em que tentava fazer o papel de vítima que teve a história ofendida. Debochou do depoimento e foi além. Com a ousadia de quem ainda acreditava na impunidade, foi à sede do PT em São Paulo, criticou a imprensa, disse que o PT "não podia ter medo" e desafiou a Justiça: "A jararaca está viva!".

O petista provocou Moro: "Se quiserem matar a jararaca, não bateram na cabeça, bateram no rabo". A analogia da cobra foi perfeita. Mas a República da jararaca não triunfaria sobre a República de Curitiba. O atrevimento passou a clara mensagem de que a jararaca pretendia voltar à presidência. A militância foi chamada à *luta*. Moro, por sua vez,

---

3 O depoimento à Polícia Federal ocorreu junto a uma confusão entre militantes no local. (N.E.)

não se intimidou com a reação petista. Continuava sereno e com a certeza de fazer o que era certo, legal e moral.

No apartamento do ex-presidente, reuniões e mais incitação à violência. Os alvos eram a Polícia Federal, a Justiça, e, sobretudo, Moro, criticado das formas mais covardes dia e noite. O líder da Lava Jato havia aplicado a lei com o rigor necessário, o suficiente para desafiar a ordem de um governo que se manteve a qualquer custo no poder por mais de treze anos. Foi uma ação de coragem, de justiça e de fé no judiciário brasileiro.

E ele nem sabia, mas o Brasil passaria a mudar a partir daquele momento. O falso mito Lula – investigado por uma série de esquemas criminosos capazes de levá-lo à prisão a qualquer instante – se tornou um cidadão comum aos olhos dos incrédulos. O juiz do Paraná, que já estava prendendo corruptos, mostrou que chegaria ao topo do esquema. Seria um caminho sem volta e um marco de mudança na vida de todos. Moro mudava a própria vida e a dos brasileiros como um todo, mas especialmente a vida do *fundador* do PT.

Acompanhei naquele dia o *Pixuleco* – uma caricatura do ex-presidente Lula – na avenida Paulista. A imagem do boneco inflável do petista vestido de presidiário representava os reais anseios de boa parte da população brasileira. As pesquisas já mostravam há tempos o descrédito de Lula e do PT e, ao mesmo tempo, a confiança inabalável da população em Moro. O ponta+grossense havia dado o mais importante passo para viabilizar a vontade do povo. Enfim, tínhamos a certeza de que algo poderia acontecer, de que um projeto de poder não está acima de um país e da lei.

Até então o que se via era a chance de manutenção do PT no poder: possivelmente um quinto mandato com Lula na presidência pela terceira vez, depois de eleger e reeleger Dilma Vana Rousseff, a mulher que responde pela situação nada favorável da economia brasileira e pela crise sem precedentes.

Era a herança maldita deixada pelo PT de Lula e Dilma para o povo. Mesmo com os ataques ao patrimônio público, com o desmonte da Petrobras, com a implosão das relações com o Congresso, com a explosão do Tesouro Nacional, o projeto do Partido dos Trabalhadores demonstra se perpetuar no comando do país, a fim de formar estruturas profissionais, assim como a Lava Jato provou, para saques nas instituições, nas estatais, nos negócios públicos.

De 2004 para cá, os propinodutos eram a regra do jogo e não a exceção. O trabalho liderado por Moro comprovou isso. E a partir daí, corrupto passou a ser tratado como corrupto e bandido como bandido, independentemente da cor partidária ou da caneta na mão.

Sérgio Moro liderou esse novo momento e assumiu o papel de mostrar na prática que todos são iguais perante a lei bem aplicada, sim. Vamos lá!

Quem em sã consciência imaginaria há cinco anos que os maiores empreiteiros do Brasil seriam presos? Que os integrantes do clube do bilhão dormiriam numa pequena cela da Polícia Federal em Curitiba? Que o dono todo-poderoso da construtora Odebrecht seria condenado a mais de dezenove anos de prisão? Que o marqueteiro das três últimas campanhas petistas fosse parar na cadeia? E mais: que um juiz de primeira instância teria essa força audaciosa? Quem imaginaria que políticos, integrantes do Congresso Nacional, seriam presos? Quem imaginaria num passado recente, num país chamado Brasil, justiça para todos?

O que antes era um desejo desacreditado, acaba de virar realidade. Surgiu um homem que enfrentaria a corrupção, tivesse ela o rosto que fosse, independentemente de sua conta bancária ou cargo público. Os poderosos já não estavam mais acima do bem e do mal. Já podíamos voltar a dizer: todos são iguais perante a lei! Moro seguiu o rastro do dinheiro roubado e chegou às figuras públicas. As investigações e condenações ganharam os holofotes da imprensa do Brasil e do mundo, afinal, nunca antes na história deste país se viu tanta justiça.

Ele ergueu-se como um muro inabalável diante desses esquemas de corrupção que tomaram conta do país. O saque à Petrobras virou propina para deputados, senadores e ministros de diferentes partidos. O dinheiro roubado foi transformado em mamatas, mordomias para alguns e sustentou partidos políticos e campanhas com caixa dois ou mesmo com um suposto caixa um, uma invenção dos tempos do Petrolão em que o próprio TSE foi usado para lavar o dinheiro roubado travestido de doação legal. Todos os limites haviam sido ultrapassados. E quantos sempre souberam de tudo? Moro procurava incessantemente.

As descobertas da Lava Jato começaram a corroer o comando do PT e a enfraquecer o esquema criminoso. O juiz Sérgio Moro provava dia após dia que qualquer um pode ser investigado, de empreiteiros a deputados, senadores, e até mesmo Lula. O cerco se fechava cada vez mais. O partido entendeu então que não conseguiria pelos meios legais e democráticos se manter no poder por mais tempo.

Este período histórico e lamacento do Brasil começa a ser passado a limpo graças ao trabalho de figuras integrantes da Lava Jato que se tornaram autoridades contra a corrupção, lideradas pelo nosso protagonista. A ação rápida e eficaz do juiz de primeira instância e dos procuradores transformou a cena política rapidamente em uma panela de pressão.

Eu não pude deixar de acompanhar tudo aquilo de perto, registrando os fatos. Era a história borbulhando à nossa frente. Era necessário narrar os fatos como eles eram, em sua inteireza, incluindo os bastidores. Todos tinham o direito de saber o que estava por trás dos panos para entender que Sérgio Moro foi íntegro e justo em todos os momentos. Era preciso trazer a notícia à tona.

Eu estava gravando vídeos no Facebook desde novembro de 2015, quando saí do site da revista *Veja*. Mesmo com o choque da *mudança de planos* do grupo, eu não podia parar. Intensifiquei meu trabalho e meus vídeos começaram a ter milhões de visualizações. O alcance na rede batia 25 milhões de pessoas por semana com mais de meio milhão de curtidas. Dessa forma, decidi dar mais um passo e fazer o que sei para mais gente e criei meu canal no YouTube, lançado em 13 de março de 2016,[4] para testemunhar a mudança que, com a Lava Jato, surgia no Brasil. A manifestação daquele dia foi a que mais teve a personalidade de Moro no coração do Brasil. Todos que lutavam pelo país eram Sérgio Moro.

A ação incansável de Moro e tudo o que cercou esse momento histórico me levou a uma rotina intensa de gravação. Era preciso contar o que estava acontecendo. A informação era essencial naquele momento e, de certa forma, um escudo para Sérgio Moro. Ele, com uma personalidade mais fleumática, e comandando o processo, não poderia se defender publicamente dos ataques rasteiros que viriam.

Virei âncora da minha própria TV na web e sem censura pude continuar meu trabalho num momento peculiar do nosso Brasil.

---

[4] Data em que mais de 3 milhões de brasileiros foram às ruas em protesto contra o governo de Dilma Rousseff. (N. E.)

MAIS SOBRE A CONDUÇÃO COERCITIVA

A Operação Lava Jato foi um trabalho heroico conduzido por uma grande força-tarefa entre polícia e Judiciário. Colocou atrás das grades desde funcionários-chave da Petrobras, como Paulo Roberto Costa, até o ex-tesoureiro do PT, João Vaccari Neto. Inclusive João Santana, o grande marqueteiro do PT, que já fora considerado um dos homens mais influentes do mundo por criar peças de ficção que elegeram diversos governos de esquerda, foi parar na cadeia de braços dados com sua esposa, Mônica Santana.

Estes foram casos famosos que ganharam destaque nas investigações. Um grande número de doleiros, operadores políticos e parte do corpo técnico da Petrobras foram intimados. Através dos depoimentos, as testemunhas, os presos condenados e as personalidades processadas criaram uma rede de denúncias.

Justamente por envolver tanta gente, o trabalho da Polícia Federal e do Ministério Público com o nosso juiz deixa os poderosos com medo de perseguições ou mesmo de serem flagrados desperdiçando o dinheiro público. E esse medo é essencial. A vontade do povo está sendo realizada sem intervenção do governo.

Ao contrário do que a petezada da gema diz, não houve um direcionamento para expor o ex-presidente Luiz Inácio Lula da Silva. Foi tudo fruto de um processo estabelecido a partir de conexões entre doleiros, operadores e delatores. As ligações entre corruptos e corruptores claramente apontavam para o partido que estava no poder naquele momento. O Petrolão, o maior esquema de propinas registrado em nossa história, foi encabeçado, sim, pelo Partido dos Trabalhadores, que trouxe aliados e promoveu farra generalizada. A conclusão, meu caro leitor, é da Lava Jato.

A condução de Lula ocorreu na 24ª fase da operação, batizada de Aletheia. O vocábulo tem origem em um termo grego que significa *busca pela verdade*. Mais de vinte etapas da investigação já tinham ocorrido. Por essa razão, dizer que se tratava de uma perseguição partidária chega a ser arrogante. Eduardo Cunha e outros políticos foram igualmente encurralados pelos policiais. Lula foi denunciado pelo Supremo Tribunal Federal (STF). Antes disso, houve pedido de prisão contra ele. As denúncias estão sendo apuradas até o momento que você lê este livro. E, tenha certeza, a Lava Jato ainda vai expor muita sujeira escondida. Muitas delações premiadas significarão algemas e grades para poderosos.[5] Alguém duvida?

E a verdade foi revelada com ousadia.

O que os investigadores, competentes em seu papel, queriam era chegar aos legítimos usurpadores da Nova República nacional. E existia uma hierarquia, uma ordem, no meio de todos os escândalos. O governo vigente era do

---

5 O ex-ministro chefe da Casa Civil, José Dirceu, foi condenado a 23 anos de prisão, assim como o ex-tesoureiro do PT, João Vaccari Neto, condenado a 9 anos de cadeia. (N. E.)

PT e em algum momento se sabia que a investigação chegaria à cúpula principal do partido.

O discurso de conspiração da poderosa mídia contra os *pobrezinhos* de esquerda é atraente, mas é uma bobagem sem fim. Os petistas usaram o Estado brasileiro para transformá-lo em um balcão de negócios, e o plano sempre foi a manutenção do poder. Eles fizeram *o diabo* para chegar ao topo. Moro aplicou a lei e começou a derrubar o esquema corrupto como num castelo de cartas. Tudo ruía. Como jornalista, eu não queria assistir aquilo acontecer diante dos nossos olhos, em silêncio. Além dos vídeos diários, comecei a palestrar Brasil afora e muitas vezes estive com os movimentos democráticos traçando estratégias para levar o povo às ruas. Eu mesma participei de diversas manifestações pró-impeachment. Uma grande exposição, mas pelo bem do país.

PÓS-LULA

O ex-presidente, que andava sumido do noticiário, foi retornando aos poucos até dominar toda a pauta política. Acusado de estar envolvido na gangue do Petrolão, ele ganhou o destaque merecido na imprensa depois de escapar pela tangente no Mensalão, episódio que só puniu, entre os grandões de alto coturno, os companheiros José Dirceu e José Genoino. Ele voltou em grande estilo ao noticiário. Os raivosos adoradores de Lula, ou os que se beneficiaram durante muito tempo do esquema, engrossaram os discursos e as ameaças. Sérgio Moro permanecia. As ameaças vieram. O esquema de segurança precisou ser reforçado. A escolta era uma necessidade urgente.

A fase Aletheia teve 44 mandados de busca e apreensão, sendo onze só de conduções coercitivas. Além do ex-presidente, o seu famoso Instituto Lula no bairro do Ipiranga também foi investigado, além de vários de seus apoiadores após o governo.

A Lava Jato prosseguiu. Antes da condução de Lula, a 23ª fase se chamou Acarajé e ocorreu em 22 de fevereiro de 2016. Levou para a cadeia o casal João Santana e Mônica Moura. A 26ª etapa chamou-se Xepa e revirou a corrupção da Arena Corinthians em Itaquera, um dos estádios mais cultuados pela gestão lulopetista corrupta.

Construído pela Odebrecht, a mesma empreiteira que fez a reforma do sítio de Lula em Atibaia por 1 milhão de reais, o caso da empresa com o estádio de futebol é, como todo assalto aos cofres públicos, repugnante ao país. Os policiais federais descobriram que dentro da companhia havia uma divisão de propinas para obras públicas. A Arena também era alvo da Lava Jato.

Segundo as investigações e denúncias, Luiz Inácio Lula da Silva agiu como um verdadeiro lobista dessa empreiteira, além da OAS. O tríplex no Guarujá é uma das histórias mais mal contadas entre as tantas de Lula. Ele jura que o apartamento não é dele. O imóvel está no nome da OAS, parceira no esquema de corrupção. A Lava Jato afirma categoricamente, assim como o Ministério Público de São Paulo, que o ex-presidente é, na verdade, o dono oculto do tríplex e que a compra em nome de outrem foi somente uma forma de lavar dinheiro roubado da Petrobras. Até o porteiro confirmou que Lula mentia.

As mentiras não ficaram só no tópico de a quem pertence o imóvel. Marcos Sérgio Migliaccio, conselheiro da Associação das Vítimas da Bancoop, disse que o ex-presidente Lula mentiu ao afirmar que comprou cotas de um apartamento no Guarujá. A verdade é que não existia venda de cotas no condomínio Solaris, na praia das Astúrias, mas sim de apartamentos. O Instituto Lula repete desde o ano passado que ele comprou cotas do empreendimento.

Com valor especulado entre R$ 1,5 milhão e 1,8 milhão, o tríplex de 297 m^2 com vista para o mar de Guarujá foi comprado em 2005 por Lula, aparecendo, inclusive, na declaração de seu imposto de renda, com o valor de R$ 47 695,38.

Mas o que realmente chama atenção das autoridades é uma propriedade do ex-presidente na cidade interiorana de Atibaia. Ele diz que o sítio é de Fernando Bittar, filho de Jacó Bittar, fundador do PT. O dono é sócio de Fábio Luís Lula da Silva, o Lulinha, e o mesmo possui conexões com o pecuarista José Carlos Bumlai.

Mais claro que isso é impossível!

Quem acredita nessa historinha pode acreditar mesmo em qualquer coisa. Pode muito bem haver bens do Palácio do Planalto dentro do sítio, abrangendo desde itens considerados simplórios até móveis preciosos. E a reforma da propriedade, avaliada em 1,5 milhão, foi paga pela Odebrecht.

Após a condução coercitiva do ex-presidente e a reação violenta de sua militância, cada um dos pontos e dos escândalos passaram a se conectar. Lula teria usado jatinhos pagos pelas empreiteiras para obras em nações africanas como Gana e Guiné Equatorial, países ditatoriais e subdesenvolvidos. O governo de sua sucessora financiou o porto de Mariel, em Cuba, com dinheiro do Banco Nacional do Desenvolvimento Econômico e Social (BNDES). Eles não escondem sua simpatia por regimes contraditórios, esquerdistas e autoritários.

O PT liderou esse esquema. Primeiro com Lula e depois com Dilma. Foi o meu dinheiro e o seu dinheiro que vazou do país para financiar as obras superfaturadas e fraudulentas dos amigos esquerdistas.

Atualmente, a PGR de Rodrigo Janot, principal órgão do Ministério Público Federal, denunciou o ex-presidente e pediu autorização ao STF, ainda que não precisasse, para investigar sua sucessora.

Esse partido que ficou por tantos anos no poder possui uma estrutura muito clara de hierarquia que permite visualizar suas ações em conjunto. No entanto, eles não contavam com a atuação de um homem sereno, analítico e perspicaz.

Sérgio Moro.

O GRAMPO – O XEQUE-MATE DE MORO

O ato de maior coragem e justiça que Moro fez em nome do Brasil foi a divulgação dos grampos telefônicos recomendados pelo Ministério Público, autorizados por Moro. A divulgação foi em 16 de março de 2016. No fim daquele dia, Sérgio Moro mudaria a história política novamente. Os áudios revelavam mais um crime sem precedentes em curso, um deboche contra a nação, a tentativa de obstruir a Justiça. Eram novidades dos bastidores políticos enquanto Sérgio Moro já estava analisando esses grampos. Depois da condução coercitiva, o terror tomou conta da companheirada. Não havia mais a garantia de liberdade. O grupo que tomara o país para desviar dinheiro público entrara na mira da Justiça, a começar por Lula.

A lei passou a ser para todos.

Sérgio Moro divulgou um número robusto de áudios com falas de figurões do governo. A gravação mais assustadora era uma entre Lula e Dilma negociando o termo de nomeação do ex-presidente para o governo. Luiz Inácio Lula da Silva entraria como ministro-chefe da Casa Civil justamente para ganhar o foro privilegiado e não ser julgado pelo nosso herói do Paraná. Seu processo seria então encaminhado ao STF. Mal sabia ele que os planos seriam não somente descobertos, mas publicados. Foi um ministério relâmpago, de quarenta minutos.

O áudio é revelador. Vamos relembrar:

Dilma: Alô.[6]

Lula: Alô.

Dilma: Lula, deixa eu te falar uma coisa.

Lula: Fala, querida.

Dilma: Seguinte, eu tô mandando o *Bessias* junto com o papel pra gente ter ele, e só usa em caso de necessidade, que *é* o termo de posse, tá?!

Lula: Uhum. Tá bom, tá bom.

Dilma: Só isso, você espera aí que ele tá indo aí.

Lula: Tá bom, eu tô aqui, fico aguardando.

Dilma: Tá?!

Lula: Tá bom.

Dilma: Tchau.

Lula: Tchau, querida.

Era, então, um autêntico plano de fuga dos petistas. Era uma artimanha para livrar seu grande líder Lula de encarar Sérgio Moro, que trabalhou cuidadosamente para enquadrá-lo de uma maneira eficiente e inequívoca. E não demorou muito para surgir represálias dentro das próprias instituições. A tentativa de golpe orquestrada por um ex-presidente e uma presidente não poderia ficar impune, ainda mais em uma operação coordenada por um juiz do calibre de Moro.

---

6 Grifos da autora

O PT ainda foi beneficiado por outras autoridades que tentaram, em vão, tirar o brilho do trabalho do juiz do Paraná. As reações vieram até de dentro da Justiça.

Marco Aurélio Mello, do STF, questionou a legitimidade de se divulgar aqueles áudios, porque envolveria a presidente da República que já contava com o foro privilegiado. Mas o grampeado era Lula, que não tem foro! Dilma estava na hora errada negociando com a pessoa errada uma ação ilegal. Sérgio Moro não podia permitir. E não permitiu. Com base no princípio da publicidade, afinal, a matéria era de interesse público, ele retirou o sigilo de parte dos áudios e eles se espalharam como um rastilho de pólvora pelo mundo. A nação ouvia perplexa o que parecia impossível. A negociação de um cargo do mais alto escalão do Poder Executivo para retirar da Justiça a chance de se fazer justiça rápida. Gilmar Mendes, outro ministro, tentou repassar o processo de volta a Moro. Foi voto vencido. Teori Zavascki mais uma vez interferiu, atrasou o processo e deixou a questão dentro do STF.

Mas a justa ação de Moro teve um reflexo imediato. Poucos minutos depois, Lula caía do ministério. Não havia como manter o que comprovadamente era uma sujeira. Não houve como reverter a situação, mesmo com as insistentes idas ao Supremo, mesmo com a intensa pressão em cima de ministros mais simpáticos ao governo PT. Por causa da divulgação dos grampos, a nomeação foi suspensa e a derrocada de Dilma seguia como água morro abaixo.

As ruas ergueram-se em protesto. Em todos os lugares, de forma espontânea, sem chamamento, o povo dizia: BASTA! A oposição, que demorou para fazer parte da história de mudança do Brasil, teve que seguir a vontade do povo. Não havia mais como impedir o impeachment de Dilma, ainda que os argumentos usados na peça nada tenham a ver com o processo. Mas o PT perdia o discurso. Lula derretia junto com a figura que ele criou.

O escândalo das pedaladas fiscais e dos decretos ilegais deram a base jurídica para o processo de impedimento da presidente, mas agora havia os áudios, que não constam na denúncia, mas que escancararam para todo o Brasil a fraude.

A avenida Paulista, no coração de São Paulo, passou a ser ocupada todos os dias por fãs do trabalho de Moro. Um acampamento foi montado diante da sede da FIESP, com seus patos infláveis pedindo o fim dos impostos abusivos que pagamos. O telão colorido de verde e amarelo, junto com os gritos e as falas públicas, pediam claramente a renúncia da presidente Dilma Rousseff. Em Brasília, acontecia ao mesmo tempo grandes manifestações em frente ao Palácio do Planalto. Em todas as capitais o movimento se repetia. O Brasil exigia uma resposta. PT e aliados tentaram responder à altura, porém, o número de pessoas que lutavam pelo Brasil era muito maior. Moro, com uma única ação, expôs toda a manobra desenhada entre Dilma e Lula. Era a derrocada. Era o xeque-mate!

Petistas e aliados, da CUT e sindicalistas em geral, ensaiaram uma reação. O próprio Lula começou a correr o Brasil para mobilizar a militância. Ele passou a atuar como um ministro sem cargo. Comandava o governo num hotel de luxo em Brasília que reunia três suítes. As mordomias e os seguranças eram garantidos 24 horas por dia. Na capital federal, ele tentava convencer deputados que conseguiria escapar, que Dilma continuaria. Tentou negociar cargos e vantagens em troca de votos para barrar o impeachment. Mas foi em vão. Mesmo com a vantagem de precisar de apenas $1/3$ da Câmara para engavetar o processo, o governo não conseguiu.

O pivô dessa mudança que será permanente na sociedade veio do Sul do Brasil. Foi um trabalho competente, conjunto entre as autoridades que podem de fato punir a corrupção no Brasil. A esperança voltava a esquentar a alma dos brasileiros.

O responsável foi Moro, homem alinhado com a vontade popular e regido pela lei. E o país não foi o mesmo depois de sua ação contundente contra aqueles que desgovernam o Brasil.

3.

UM GRANDE ESTRATEGISTA – O PASSADO DO JUIZ

Quem é Sérgio Moro? Como foi sua criação no Paraná? Como ele chegou até a posição de juiz? Como isso contribuiu para as características de seu trabalho?
O que há de humano por trás do mito?

O temperamento por trás de Sérgio Fernando Moro esteve presente desde o berço. Nascido em 1º de agosto de 1972, em Ponta Grossa, e criado na cidade de Maringá, no meu Paraná, o juiz da Operação Lava Jato sempre teve algumas características que se tornaram marca registrada do seu trabalho em toda essa investigação. Aos 43 anos, ele mantém princípios que norteiam suas ações.

A sua infância e adolescência moldaram em Moro aspectos que foram fundamentais para tornar sua atuação certeira, neutra e muito bem organizada em toda a carreira, sobretudo no maior julgamento de crimes de corrupção do Brasil e o maior *case* de sua trajetória.

Valores familiares e profissionais forneceram a base para o futuro trabalho do juiz federal que encarou o desafio de desmontar o maior propinoduto registrado no país.

O passado criou a história do nosso juiz, que não tomou grandes decisões baseado apenas em impressões sobre o que acontecia nas investigações.

A Lava Jato não seria o que foi sem um personagem com o equilíbrio, carisma e a integridade de Sérgio Fernando Moro. Por isso, vamos andar para um período diferente dessa história. Vamos voltar no tempo dentro da vida deste personagem que se tornou, de fato, o herói que o Brasil precisava no momento altamente necessário para a história nacional.

Resgataremos histórias de escola, incluindo sua infância rica em referências de uma boa educação, além da sua adolescência, que foi decisiva para sua formação.

Você entenderá quem é o homem por trás do heroísmo que ele representa.

SENSO DE HIERARQUIA

Moro foi criado por uma família tradicional maringaense, que sempre apostou na educação como o melhor caminho para sua formação. Religiosos, eles ensinaram o papel de Deus em sua vida para justamente construir o pensamento dele sobre o certo e o errado.

Estudou no colégio particular Santa Cruz e no estadual Doutor Gastão Vidigal, sendo sempre um excelente aluno em sala de aula. Em 2009, seu primeiro colégio foi considerado o sétimo melhor entre entidades públicas e privadas no Enem. O boletim de Moro só tinha notas O e

B, equivalentes a Ótimo e Bom. Fez um grande grupo de amigos, era querido por todos, mas nunca perdeu o foco: o objetivo era estudar, ganhar conhecimento.

Foi justamente nessa escola particular que ele recebeu lições do catolicismo e se tornou cristão. Por essas razões, nosso juiz aprendeu desde cedo que obedecer aos pais é importantíssimo para ter um crescimento ético e correto. Sérgio Moro sempre foi muito grato aos seus criadores, justamente por ter uma formação que teme os erros e busca o caminho da verdade.

Obedecendo ao pai e à mãe, próximo da família e temente a Deus, Moro tornou-se uma pessoa justa, equilibrada em suas ponderações e sempre disposto a ouvir.

O pai, Dalton Áureo Moro, falecido em 2005 aos 71 anos, era conhecido por ser centrado, duro e com um posicionamento político nada ideológico. Nem esquerda e nem direita. O senhor Dalton era um homem direito que trazia orgulho ao filho, com suas raízes italianas fortes.

A mãe, Odete Moro, professora de Português, passou os valores da religião e se mantém como o apoio espiritual do filho.

Democrático, sua atuação como professor sempre deu preferência a ouvir alunos que tentaram apontar eventuais erros de conduta. Sabia se defender com elegância. Quando não o fazia, era bom até em admitir equívocos em entrevistas com a imprensa. Chegou a assumir que a condução coercitiva de Lula deveria ter aval do STF.[7]

O desempenho dele nas discussões sobre a Lava Jato atesta que ele sempre buscou ser correto, justo em sua carreira.

O SENHOR DALTON

O pai de Moro foi seu maior espelho de vida. Levou a esposa para morar em Maringá no fim dos anos 1960. Ele nasceu em Ponta Grossa. Marido e mulher começaram lecionando no Colégio Estadual Doutor Gastão Vidigal, pelo qual o filho também passou, mas a história deles se consolidou na Universidade Estadual de Maringá (UEM). A escola foi o embrião do ensino superior.

Em 1969, os tempos eram outros. A carreira de professor era uma profissão reconhecida e respeitada. E o pai de Sérgio Moro criou uma bela família dessa forma, com dois filhos homens.

O irmão mais velho de Sérgio é César Fernando Moro, maratonista e diretor da empresa IADTEC Soluções em Tecnologia. Os dois filhos do senhor Dalton carregam no DNA o rigor do patriarca.

O pai ensinou que a ética e o rigor deveriam ser seguidos por seus filhos para sempre. César levou a sério o esforço físico e teve uma vida feliz empreendendo. Já Sérgio, preferiu os livros e se tornou o intelectual da família.

---

[7] Disponível em: <http://agenciabrasil.ebc.com.br/politica/noticia/2016-03/moro-admite-ao-stf-equivoco-ao-divulgar-conversa-de-lula-e-dilma>. Acesso em: 25 de maio de 2016.

O senhor Dalton dava aulas de Geografia e ensinou ao filho seu lugar no mundo. Mostrou que ele poderia ser especial e fazer a diferença para a maioria das pessoas. O pai foi, na verdade, um roteiro para o que o jovem Sérgio Moro viria a se tornar.

Geografia foi a matéria que Moro inicialmente deu aulas, inclusive em sua escola, Gastão Vidigal. Mas a paixão do homem que era atraído por livros e pelos estudos seria encontrada no Direito e na letra dura da lei.

Se Dalton Áureo Moro era conhecido por ser duro e rígido na educação dos filhos, Sérgio seria uma rocha em sua carreira acadêmica e profissional como juiz federal.

CARREIRA METEÓRICA

Moro escolheu a universidade onde seu pai dera aulas. Formou-se em Direito na turma de 1995 da UEM. Era um estudante de ensino superior aplicado e buscou rapidamente se estabelecer como juiz federal.

Sérgio Moro sempre manteve a seriedade. Reservado, tímido, discreto, e com um seleto e fiel grupo de amigos, nosso juiz, quando estudante, já mostrava ser extremamente focado. Ele nunca foi de jogar conversa fora. Até frequentava festas de faculdade, mas nada de badalação excessiva. Moro tinha horário para sair e para voltar para casa. Era o cuidado dos pais. Dedicava seu tempo aos estudos e, nas horas de relaxamento, optava pela leitura de histórias em quadrinhos. O jovem de sorriso discreto sempre teve um comportamento diferenciado e um senso de responsabilidade como ninguém. Ele queria ser alguém na vida, especialmente para ajudar a mãe. Sempre repetia aos amigos mais próximos que queria fazer a diferença. E fez.

Moro preserva até hoje o círculo restrito de amigos da faculdade. A turma tem um grupo de WhatsApp e, sempre que possível, se reúne em torno de uma churrasqueira na casa de algum deles. O bom churrasco do Sul é apreciado pela turma de Maringá.

Moro, com esse comportamento tão disciplinado, se destacava em sala de aula. Os amigos da época são unânimes: ele já era brilhante! Apesar da timidez, era impossível esconder os frutos da dedicação. Não há nada mais bonito do que o resultado do esforço. E ele aparecia claramente. A semeadura da época de faculdade virou colheita na vida profissional. De aluno sério e dedicado, Sérgio Moro se tornou um juiz que mudaria a história da nação.

Antes de tentar o concurso, ele trabalhou em um escritório com o advogado Irivaldo Joaquim de Souza. Foi seu único patrão. Logo depois veio a carreira na magistratura. Tornou-se, então, juiz federal em 1996 com apenas 24 anos.

Em toda sua carreira, ele atuou em pelo menos 1 200 processos em apenas vinte anos de atuação profissional. Um fenômeno único.

No começo de sua trajetória, ele teve uma rápida passagem por Curitiba e foi trabalhar em Cascavel, no Paraná, e Joinville, em Santa Catarina. Vindo de origem humilde, era conhecido como *o juiz dos velhinhos* ao ajudá-los na vara previdenciária contra o INSS. Deu, inclusive, pensão aos netos que perderam seus entes queridos e não tinham mais os pais, além de proteger a terceira idade que não recebia benefícios nos programas de distribuição de renda do governo.

Moro também foi um juiz realmente equilibrado diante de empresas. No caso de sonegações de impostos que decorriam de dificuldades financeiras, aplicava penas mais brandas. Caso contrário, sempre aplicava punições rigorosas. Chegava a citar o jurista constitucionalista Cass Sunstein, democrata que trabalhou no governo de Barack Obama. Dizia ele em seus textos:

> Mercados não devem ser identificados aprioristicamente com a liberdade; eles devem ser avaliados segundo sirvam ou não à liberdade.

UM JUIZ QUE CRITICOU A ECONOMIA TUCANA

Sérgio Moro constantemente é acusado de ser simpatizante do PSDB por associações entre seu pai, Dalton, e o partido. Quem conhece bem sua história, sabe que todas essas acusações que rondam a internet não passam de pura mentira.

Nosso juiz assinou sentenças que desagradaram Fernando Henrique Cardoso, já que atuou como um crítico à política econômica de FHC.

Em junho de 2001, dez servidores públicos pediram a correção da tabela do imposto de renda desde 1996 num processo envolvendo Moro. O Plano Real havia congelado os reajustes do IR. Nosso juiz condenou a fazenda de FHC a pagar os valores devidos.

Em abril de 2002, um novo caso. Um homem entrou com uma ação para contestar a decisão do governo de tirar o indexador do valor das aposentadorias. Na prática, o benefício ficou sem atualização segundo os índices que calculam a inflação, que era forte no período. Sérgio Moro, mais uma vez, condenou o governo a pagar a diferença.

Moro sempre atuou com independência visível. Inclusive dos interesses econômicos.

Na academia, cursou mestrado e doutorado em Direito do Estado pela Universidade Federal do Paraná. Foi orientado por Marçal Justen Filho, especialista na área administrativa e empresarial, o que contribuiu para enriquecer toda a sua formação como magistrado.

Também foi ao exterior para realizar o programa de instrução de advogados da Escola de Direito da Universidade Harvard, em 1998. Na terra do Tio Sam, ele participou de programas de estudos sobre lavagem de dinheiro por meio do International Visitors Program, todos promovidos pelo Departamento de Estado Americano.

Ao ter contato com os EUA, ele teve a oportunidade de participar do primeiro grande caso de sua vida.

O QUE FOI O BANESTADO PARA MORO

Moro trabalhou no caso que desmantelou a quadrilha de Fernandinho Beira-Mar no ramo do tráfico de drogas. Nosso juiz atuou, portanto, contra o *Pablo Escobar brasileiro*. Não é à toa que a Netflix confirmou a produção de uma série sobre a Operação Lava Jato, com direção de José Padilha e que deve ser lançada em 2017.

Mas o grande caso de Sérgio Moro envolveu um banco.

O Banco do Estado do Paraná (Banestado) foi um grande *case* na vida do nosso juiz, além de o pontapé inicial para ele colocar em prática as ideias que aprendeu em sua pós-graduação. A instituição foi privatizada entre o primeiro e o segundo mandatos do presidente Fernando Henrique Cardoso. O banco foi desnacionalizado e vendido ao Itaú em outubro de 2000 por R$ 1,6 bilhão.

O problema é que a operação de aquisição foi precedida e sucedida por desvios de dinheiro para paraísos fiscais. Entre 1996 e 2002, R$ 42 bilhões saíram do Banestado para paraísos fiscais, configurando crime de evasão de divisas.

Moro atuou como juiz de primeira instância, junto a promotores como Carlos Fernando dos Santos Lima. Os dois voltariam a trabalhar na Lava Jato dez anos depois. Naquele escândalo, eles indiciaram 97 pessoas, incluindo nomes como Gustavo Franco, Celso Pitta e Samuel Klein. Milhões de reais retornaram aos cofres públicos e o ex-prefeito de São Paulo, Pitta, chegou a ser preso por desacato a autoridade na CPI do caso em 2004.

Carlos Lima afirma que a primeira delação premiada do doleiro Alberto Youssef surgiu no Banestado. Por tal motivo, a mesma operação seria adotada para investigar a Petrobras. Lima diz que se inspirou nos Estados Unidos ao estudar crimes do colarinho branco na Escola de Direito da Universidade Cornell para criar as bases da Lava Jato.

A lógica do *Procurado*, utilizada no Velho Oeste americano por caçadores de recompensas, inspiraria Lima a incorporar as delações em seu trabalho.

No entanto, embora Youssef ganhasse destaque no Banestado, isso não impediu Sérgio Moro de criticá-lo. Em dezembro de 2009, nosso juiz redigiu uma sentença que dizia que o doleiro era um *notório criminoso* que já não tinha muita credibilidade. Youssef voltou a cometer crimes e hoje é figura central do petróleo. Mais uma vez, Moro tinha razão.

Mesmo assim, Moro recomendou que Alberto Youssef ainda fosse ouvido. Sua ideia era infiltrar criminosos para desmantelar crimes. Por outros meios, Sérgio Moro não obteve sucesso. Mas a delação premiada foi um caso exemplar no Banestado.

E o escândalo do Banco do Estado do Paraná instruiu o Ministério Público em suas ações, especialmente com Carlos Lima atuando como procurador da força-tarefa investigativa.

Enquanto o MP agia dessa forma, Sérgio Moro teve outra inspiração para entrar na Lava Jato. Ele estudou profundamente uma operação que nasceu na terra de origem do seu pai Dalton. Revirando suas raízes italianas, Moro apurou um caso de crime internacional.

Nosso herói, nosso juiz do Paraná, mergulhou na operação italiana Mãos Limpas – um famoso caso responsável por guiar seus trabalhos na Lava Jato.

CONSIDERAÇÕES SOBRE A MÃOS LIMPAS, UMA CRUZADA JUDICIÁRIA

A Mãos Limpas teve origem em 1991, em Milão, vindo a ganhar notoriedade no ano seguinte, a partir da prisão de Mario Chiesa, político do Partido Socialista Italiano (PSI), que havia sido grampeado pelo promotor Antonio Di Pietro. A investigação terminou em 1994 ao ser impedida por Silvio Berlusconi, que desmoralizou o Ministério Público e a Justiça. Todos os partidos políticos italianos foram devassados, exceto a candidatura de Berlusconi, que deixou de ser deputado para assumir o cargo de primeiro-ministro.[8]

Mesmo com esse fim questionável, Sérgio Moro se interessou por uma das maiores operações italianas anticorrupção e chegou a publicar sua pesquisa na revista do Conselho de Justiça Federal (CEJ) de Brasília, com considerações próprias a respeito do assunto, em 2004. Diz ele em seu texto:

---

8 Disponível em: <http://www.diariodocentrodomundo.com.br/como-a--operacao-salva-ladrao-da-italia-virou-um-modelo-para-cunha-por-pedro-zambarda/>. Acesso em: 24 de maio de 2016.

A ação judicial não pode substituir a democracia no combate à corrupção. É a opinião pública esclarecida que pode, pelos meios institucionais próprios, atacar as causas estruturais da corrupção.

Ademais, a punição judicial de agentes públicos corruptos é sempre difícil, se não por outros motivos, então pela carga de prova exigida para alcançar a condenação em processo criminal.

Nessa perspectiva, a opinião pública pode constituir um salutar substitutivo, tendo condições melhores de impor alguma espécie de punição a agentes públicos corruptos, condenando-os ao ostracismo.

De todo modo, é impossível não reconhecer o brilho, com suas limitações, da operação Mani Pulite, não havendo registro de algo similar em outros países, mesmo no Brasil.

No Brasil, encontram-se presentes várias das condições institucionais necessárias para a realização de ação judicial semelhante.

Assim como na Itália, a classe política não goza de grande prestígio junto à população, sendo grande a frustração pelas promessas não cumpridas após a restauração democrática. Por outro lado, a magistratura e o Ministério Público brasileiros gozam de significativa independência formal frente ao poder político.

> Os juízes e os procuradores da República ingressam na carreira mediante concurso público, são vitalícios e não podem ser removidos do cargo contra a sua vontade. O destaque negativo é o acesso aos órgãos superiores, mais dependentes de fatores políticos.

Moro basicamente utilizou a Mani Pulite – o nome em italiano para a Operação Mãos Limpas – como um modelo para o seu procedimento investigativo dos crimes de corrupção da Petrobras. O juiz fez uma apuração aprofundada do caso europeu, que chegou a ocasionar cerca de 6 mil prisões, um número robusto diante do pouco caso da Justiça brasileira em relação aos crimes de corrupção.

Ele foi entender como o caso foi efetivo na Itália, como os investigadores procederam diante das provas apuradas, quais métodos eles utilizaram para fazer os acusados levarem a promotoria até novas provas e como os juízes procederam para penalizá-los da melhor forma.

Nosso herói adotou o método da Mãos Limpas de *falar pelos autos*, ou seja, comunicar o que ele quer através de sentenças jurídicas. Reconhecido por grandes empresas de jornalismo, Sérgio Moro tratou de publicar suas ações de combate à corrupção, consagrando sua carreira. E ele tirou isso da Mãos Limpas.

Composto por seis páginas e 21 referências, o artigo de Moro sobre a Operação Mãos Limpas afirma com todas as letras que o Brasil precisa de uma investigação similar para chegar aos corruptos da nossa política. O juiz federal sabia que a sujeira nos esquemas de propina demandava um trabalho desse nível. Na época, o Escândalo dos Correios estava prestes a estourar, culminando no depoimento do deputado Roberto Jefferson (PTB), que provocaria o processo do Mensalão.

Em 2012, Sérgio Moro atuou como auxiliar da ministra do STF, Rosa Weber, no julgamento dos crimes de José Dirceu, José Genoino e outras grandes figuras do PT.

Até chegar ao maior escândalo de corrupção da História antes do Petrolão, Moro utilizou as lições da Mãos Limpas. Em seu estudo divulgado na revista CEJ, o juiz identifica necessidades democráticas de uma operação efetiva para punir corretamente os corruptos do nosso país.

Ele utiliza o termo *cruzada judiciária* contra a ideia de *democracia vendida* que existia na Itália pré-Mãos Limpas e atenta no texto para os perigos do populismo de figuras como Berlusconi. Moro, de uma maneira efetiva, evitou o surgimento de um personagem carismático na política brasileira e não deixou de investigar personagens fortes como o próprio ex-presidente Lula.

Reuniu uma boa dose de coragem ancorada em um estudo aprofundado acerca do processo italiano. Sérgio Moro revirou suas origens para fazer a maior operação judiciária da História.

A gravidade da constatação é que a corrupção tende a espalhar-se enquanto não encontrar barreiras eficazes. O político corrupto, por exemplo, tem vantagens competitivas no mercado político em relação ao honesto, por poder contar com recursos que este não tem. Da mesma forma, um ambiente viciado tende a reduzir os custos morais da corrupção, uma vez que o corrupto costuma enxergar o seu comportamento como um padrão e não a exceção.

O juiz Sérgio Moro enxerga a Justiça exatamente como descreveu em seu texto: uma barreira. Para se tornar um obstáculo eficaz contra os roubos do dinheiro público, ela deve se aliar com as investigações contra a corrupção e acelerar as decisões que punam os agentes públicos e privados acusados.

A publicidade conferida às investigações teve o efeito salutar de alertar os investigados em potencial sobre o aumento da massa de informações nas mãos dos magistrados, favorecendo novas confissões e colaborações.

A Mãos Limpas construiu a Lava Jato sem desrespeitar a ordem democrática brasileira. Praticamente todos os políticos de todas as bandeiras partidárias foram implicados nas diferentes delações premiadas. Presidentes de empreiteiras foram parar atrás das grades.

O caráter neutro, eficiente e célere veio através das decisões de Sérgio Moro nos autos. As documentações jurídicas foram direto ao ponto, sem burocracias e sem atropelar as instituições. Nada disso seria possível se Moro não estudasse um caso anterior que guardou essas vantagens e também contou com desvantagens, uma vez que Berlusconi devassou o Ministério Público e desacreditou as investigações da Operação Mãos Limpas. O nosso juiz tomou a precaução de não deixar isso acontecer.

Nada disso seria possível sem a imprensa. O juiz Moro sabia que precisaria sempre exercer o princípio da publicidade. Um grupo da Lava Jato manteve contato firme com jornalistas de credibilidade. A mídia era informada sobre as decisões da operação. Em coletivas, a equipe apresentava fatos, provas e denúncias. Sérgio Moro preferia não se expor em entrevistas. Ele, como nos tempos da faculdade, mantinha a discrição. Mas nada era feito à revelia. A força-tarefa cumpria o papel na publicidade devido ao processo jurídico, contribuindo para a punição de corruptos.

> A publicidade [...] garantiu o apoio da opinião pública às ações judiciais, impedindo que as figuras públicas investigadas obstruíssem o trabalho dos magistrados, o que, como visto, foi de fato tentado.

A publicidade e o papel da imprensa, na opinião de Sérgio Moro, teve o papel de coibir a ação de políticos no abafamento de investigações criminais. Trazendo seu conhecimento do campo do Direito Empresarial, o juiz do Paraná também analisou que empreiteiras poderiam tentar abafar as investigações, assim como ocorreu com a Mãos Limpas. A Lava Jato então passou a encarar a comunicação como um pilar fundamental de ação, baseada na análise da operação italiana.

Moro entendeu o papel da comunicação como um instrumento de entendimento dos propósitos da investigação. As notícias sobre as denúncias de corrupção funcionam como um mecanismo de transparência e de pressão popular.

Tornar pública a informação é essencial para conscientizar a população. Por isso a importância da mídia na divulgação dos grandes casos de corrupção. E o povo pode pressionar as autoridades para que sejam feitas novas revelações em prol da eficiência e da honestidade das instituições.

Políticos são figuras públicas que devem ser cobradas por suas atividades administrativas. O que as ações da Mãos Limpas ensinaram para Moro é que juízes e magistrados em geral podem responder pelas demandas populares ao contribuir para a apuração de crimes e desvios de conduta das instituições consolidadas.

> Há sempre o risco de lesão indevida à honra do investigado ou acusado. Cabe aqui, porém, o cuidado na desvelação de fatos relativos à investigação, e não a proibição abstrata de divulgação, pois a publicidade

tem objetivos legítimos e que não podem ser alcançados por outros meios.

As prisões, confissões e a publicidade conferida às informações obtidas geraram um círculo virtuoso, consistindo na única explicação possível para a magnitude dos resultados obtidos pela operação Mani Pulite.

A título exemplificativo e sem adentrar o mérito das acusações, é oportuno destacar o ocorrido com um dos principais investigados ou talvez o principal: Bettino Craxi. Líder do PSI e ex-primeiro-ministro, foi um dos principais alvos da Operação Mãos Limpas. Craxi, já ameaçado pelas investigações, reconheceu cinicamente a prática disseminada das doações partidárias ilegais em famoso discurso no Parlamento italiano, em 3 de julho de 1992 [...].

Nesse ponto de sua reflexão, Moro compreende que existe a possibilidade de que a Justiça errasse em sua ação justa de punir a corrupção num país. No entanto, o risco é apaziguado quando o trabalho é feito de maneira equilibrada e centrando sempre no bem maior da sociedade, que é justamente exibir e punir os reais corruptores da política.

A autocrítica do juiz mostra que ele não é leviano em suas análises. Entretanto, ele entende o papel fundamental da comunicação para exibir contradições e delitos de grandes autoridades.

Como um exemplo bem-sucedido dentro da Mãos Limpas, Sérgio Moro explica como Bettino Craxi, o maior nome socialista da Itália pré-Berlusconi, foi de fato investigado e admitiu a corrupção. Nenhuma legenda foi poupada e os italianos deram a devida lição. Aqui no Brasil, Moro atualmente tenta fazer a mesma coisa.

Ele entende que a ideologia esquerdista não pode servir para proteger corruptos e acobertar criminosos na política. Também não devem escapar parlamentares de outras correntes políticas, mas a ideologia marxista-leninista tende a diminuir o peso dos desvios de conduta e crimes cometidos por seus simpatizantes.

A Justiça não deve punir determinadas bandeiras partidárias diante de outras. A atuação desse poder deve ser independente e impessoal. E investigadores e acusadores devem agir dessa forma para não proceder com injustiça.

Nosso juiz do Paraná abraçou esse método para atuar como um autêntico julgador dos casos notórios de corrupção, concluindo sobre a Operação Mãos Limpas:

> Um acontecimento da magnitude da operação Mani Pulite tem por evidente seus admiradores, mas também seus críticos.

É inegável, porém, que constituiu uma das mais exitosas cruzadas judiciárias contra a corrupção política e administrativa.

O ESTRATEGISTA SÉRGIO FERNANDO MORO

A história do juiz Moro e seus pensamentos mostram que ele é um grande estrategista que se formou através dos seus estudos. Do menino tímido e discreto, focado na escola e na boa educação dos pais – rígida e rica em referências –, emergiu um profissional da Justiça que a cena pública brasileira merecia receber.

Nosso ponta-grossense, criado em Maringá, lutou contra o crime organizado em torno das propinas de empresas estatais e empreiteiras. Sérgio Moro surgiu contra o clientelismo e a lentidão exasperada das instituições.

Seus estudos foram contra os atrasos injustificados nos procedimentos judiciais envolvendo figuras políticas. Moro reforçou o papel do juiz de primeira instância para não jogar toda a responsabilidade no STF, responsável por absolver o ex-presidente Fernando Collor de Mello após seu processo consolidado de impeachment, que interrompeu seu mandato.

Ele surgiu como um estrategista diante da complexidade normativa dos processos jurídicos. Trazendo a expertise também acumulada do Banestado, ele popularizou as delações premiadas dos Estados Unidos para chegar nos grandes mandantes dos crimes políticos.

Moro tirou a névoa que cerca o processo pantanoso envolvendo grandes figuras públicas que possuem amplo direito de defesa no Brasil – um de nossos maiores avanços democráticos, obviamente. Mas nosso estrategista mina os componentes da ineficiência estrutural da atividade do Judiciário. Ele vai contra erros que continuam presentes na sociedade brasileira.

Um dos segredos de Sérgio Moro em seus estudos foi justamente se armar de argumentos para não alocar todos os processos relevantes em instâncias superiores do sistema, como o STJ e o STF. Dessa forma, os acusados não entram em uma fila interminável de processos que já estão nessas esferas do poder público.

Moro reforçou seu trabalho, dando plenos poderes investigativos para as autoridades policiais e não criando burocracias para as primeiras penas aos criminosos. Penalizando-os rapidamente, acelera recursos, possíveis contestações e todas as alegações de defesa e acusação.

Além de todos esses avanços, Sérgio Fernando Moro abre espaço para reformas mais profundas que renovarão a sociedade.

Graças à sua Lava Jato, criou espaço para os brasileiros terem esperanças nas eleições de 2018 e acreditarem na Justiça como uma instituição a ser protegida e preservada.

E nada disso seria possível sem estratégia. Moro não trabalha utilizando impressões e sentimentos. Nosso juiz entende que os aspectos técnicos devem se sobrepor às comoções sociais. O público deve apenas reagir como força esclarecida de um processo que acontece às claras, sem muitos segredos dentro da Justiça, indo contra, inclusive, o ato de ocultar desnecessariamente indícios nos meios jurídicos.

Sua carreira criou parâmetros acerca do que é necessário para prevenir casos de corrupção. No entanto, assim que a tempestade passar, o mercado de corrupção política terá recebido o golpe que impedirá o surgimento de novas árvores frondosas com os frutos da corrupção.

E o estrategista trouxe referências importantes ao Brasil. Sérgio Moro mostrou também que a legislação federal americana pode ser uma referência para o nosso país. Para ele, o caráter do código internacional trouxe o ideal liberal democrático que pode ser um exemplo para mudar a nossa frágil democracia.

Nosso juiz reconhece em sua análise da Mãos Limpas os abusos cometidos na guerra contra o terrorismo, mas a operação evoluiu na maneira de colocar criminosos atrás das grades. Inclusive os de colarinho branco – os poderosos que cometem delitos.

Moro, como estrategista, preservou, de maneira clara, a diferença entre a situação processual do acusado antes e depois da sentença condenatória. Ele também reforçou o papel jurídico das delações premiadas, oferecendo vantagens reais aos criminosos confessos. As condenações podem não ser definitivas e o nosso juiz federal considera os recursos, mas ele se centra na eficiência das penas.

A prisão antes do julgamento pede uma demonstração de que não há condições de assegurar a presença do acusado no julgamento. A segurança pode estar comprometida e nessa situação a atuação de um juiz do calibre de Moro se faz necessária. Um estrategista inteligente sabe avaliar a necessidade de medidas mais urgentes. O juiz paranaense está sintonizado com esse tipo de sensibilidade devido à sua formação.

Sabendo quem é Sérgio Fernando Moro, suas características e sua formação técnica, agora é o momento de mergulhar nos dois maiores casos de sua carreira. A partir de um escândalo encabeçado por políticos do PT, o juiz federal se aprofundou no maior caso de distribuições de propinas da História.

E a carreira de Moro, enfim, aponta para a Petrobras.

4.

O HOMEM QUE TRABALHOU DO MENSALÃO AO PETROLÃO

Quais são as conexões entre os dois maiores escândalos de corrupção do Brasil, que são notáveis mundialmente? Qual foi a real participação de Sérgio Moro nos dois casos?

O Mensalão não começou com o nome de Mensalão. O escândalo partiu primeiramente dos Correios. O primeiro personagem dessa trama foi Maurício Marinho, empresário do Departamento de Contratação e Administração de Material da entidade. Ele foi flagrado recebendo R$ 3 mil para beneficiar o advogado curitibano Joel Santos Filho do fornecedor dos Correios, Arthur Wascheck Neto. A transação em dinheiro vivo foi gravada.

Aquela capa da *Veja* era exclusiva, e datava de 14 de maio de 2005. O então presidente Lula estava no terceiro ano de seu primeiro mandato, e àquela altura começaram a surgir suspeitas de corrupção que envolviam ministros de sua confiança. A saber: Antonio Palocci (Fazenda), Luiz Gushiken (Secretaria de Comunicação) e José Dirceu (Casa Civil). Eles tinham o apelido de *três mosqueteiros* de Lula.

Em outra reportagem da *Veja*, intitulada "O vídeo da corrupção em Brasília", da edição de 18 de maio do mesmo ano, o deputado do PTB Roberto Jefferson foi apontado como o homem por trás do esquema de propinas dentro dos Correios. Sentindo-se traído pelo governo Lula, que seu partido apoiou durante as eleições, Jefferson afirmou em entrevistas que aquela suposta reportagem havia sido uma armação de Dirceu.

Nos corredores de Brasília, o termo *Mensalão* já era ventilado por diferentes parlamentares que se recusavam a explicar o esquema de forma oficial, que ocorria por baixo dos panos naquele governo. Miro Teixeira, por exemplo, já denunciava desvios de dinheiro público ao *Jornal do Brasil* desde setembro de 2004. Mas nada tinha sido feito desde aquele mês.

Tratava-se, então, de uma tarifa mensal paga pelo PT e seus representantes, principalmente José Dirceu, para comprar votos dentro do Congresso. O ministro-chefe da Casa Civil de Lula havia sido o líder do esquema de distribuição de propinas. E ele teria assediado o próprio Roberto Jefferson e o seu PTB, para depois destruir a sua reputação dentro da imprensa, quando o partido não obedeceu aos mandos do PT.

Jefferson decidiu retaliar. Escolheu a dedo a jornalista Renata Lo Prete, da coluna Painel da *Folha de S. Paulo*, e deu uma entrevista que foi publicada com exclusividade em 6 de junho de 2005.

"PT DAVA MESADA DE R$ 30 MIL A PARLAMENTARES", DIZ JEFFERSON[9]

A revelação que Roberto Jefferson deu à *Folha* foi a participação do tesoureiro do PT, Delúbio Soares, no pagamento de propinas mensais a parlamentares. O delator também entregou nesse esquema uma estrutura montada em conluio com o publicitário Marcos Valério, da agência DNA.

De acordo com Jefferson, as negociações chegaram *na antessala da República*, mas não ao ex-presidente Lula. Em sucessivas entrevistas, ele entregou o ministro José Dirceu como mandante do esquema e incriminou José Genoino, o presidente do PT, e o próprio Luiz Gushiken, das Comunicações.

A bomba estourada por Roberto Jefferson derrubou Dirceu de seu cargo e a Câmara dos Deputados cassou seu mandato. No esquema de propinas, uma empresa privada chamada Visanet, o Banco do Brasil, o Banco Rural e outros empresários e lobistas foram implicados.

A trilha do dinheiro do PT vinha desde a campanha do primeiro mandato de Lula, em 2002. As investigações da Polícia Federal chegaram a uma formação de caixa dois,

---

9 Título da matéria publicada na *Folha de S.Paulo* em 6 jun. 2005. (N. E.)

financiamento não contabilizado, do maior partido de esquerda do Brasil.

O escândalo foi considerado o maior da nossa história e quase minou a possibilidade de Lula ganhar as eleições contra Geraldo Alckmin, em 2006. O petista teve sorte de o caso não ter sido julgado pelo STF.

No entanto, em comparação a outros casos de corrupção, o Mensalão se notabilizou pela rapidez pela qual foi julgado e por suas precoces punições. Até Sérgio Moro, a justiça era considerada tardia demais. Ele seria um modelo a ser replicado na sociedade brasileira como um todo. Mas era possível fazer mais. Moro mostrou.

O JULGAMENTO DO MENSALÃO

Em 2 de agosto de 2012, o julgamento das denúncias de Roberto Jefferson foram apreciados pelo STF. Lula já não era mais presidente e tinha em Dilma Rousseff sua sucessora. O relator do processo foi Joaquim Barbosa, o primeiro ministro negro do Supremo. Na época, ele fora tratado como herói assim como Sérgio Moro. Foram sessões repletas de grandes discussões e repercussões. Na mídia, só se falava sobre os ritos, a apresentação da defesa, o pedido de desmembramento do processo que poderia beneficiar alguns dos petistas implicados, além dos bastidores da inclinação política de cada juiz.

A Ação Penal 470 levou para a Corte 38 acusados. Dentre eles, 25 foram condenados e doze foram absolvidos. O ex-secretário de Lula, Luiz Gushiken, morreu em 13 de setembro de 2013 em decorrência de um câncer no aparelho digestivo. Ele também havia sido absolvido no processo do Mensalão.

Apesar das constantes rejeições de Ricardo Lewandowski, ministro revisor da ação penal, Joaquim Barbosa desenvolvera uma teoria sofisticada para condenar os réus. A tese de *domínio do fato*, do alemão Claus Roxin, demonstrou que os petistas e os demais políticos de outros partidos implicados no processo tentaram e conseguiram apagar algumas das provas.

O domínio do fato foi utilizado por Sérgio Moro na condenação de um homem por contrabando e falsificação de nota fiscal. A pena saiu com as seguintes considerações de Moro: "Autor do crime não é apenas o executor material, mas também quem tem domínio sobre o fato delitivo".[10]

Apesar dessa ação criminosa, as robustas provas obtidas pela Polícia Federal foram analisadas pelo STF, cruzadas com outras informações e resultaram em uma sentença que comprovou desvios de recursos públicos do governo e sinalizou líderes do esquema.

É importante esmiuçar quais foram as penas de cada um dos réus do Mensalão antes de entrarmos no caso do Petrolão.

O ex-ministro da Casa Civil, José Dirceu, foi homem forte da Era Lula e sua condenação foi o equivalente a

---

10 PETRY, André. "A cabeça de Moro." *Veja*. São Paulo, n. 52, edição 2.458, p. 53, dez. 2015.

7 anos e 11 meses por corrupção ativa. A lei o enquadrou como *chefe da quadrilha criminosa*, segundo as falas dos próprios ministros do Supremo sob supervisão de Barbosa. Ele deveria estar no regime aberto, mas, por falta de vaga, foi para prisão domiciliar. Até pouco tempo, Dirceu trabalhava como auxiliar administrativo no escritório do advogado José Gerardo Grossi, mas foi preso novamente em 2015.

José Genoino foi presidente do PT e deputado federal. No Mensalão, ele foi condenado a 4 anos e 8 meses por corrupção ativa. A situação ficou semelhante a de José Dirceu, exceto pela pena menor, e ele foi colocado em liberdade em março de 2015 por extinção da pena, bom comportamento e após vários problemas por complicações de saúde.

Considerado o *operador do Mensalão*, o publicitário Marcos Valério recebeu a maior pena, o equivalente a 37 anos, 5 meses e 6 dias por corrupção ativa, peculato – crime que consiste na apropriação indébita de patrimônio público –, lavagem de dinheiro e evasão de divisas. Foi preso em regime fechado na penitenciária Nelson Hungria, em Contagem, na Região Metropolitana de Belo Horizonte. Ele só terá direito à progressão de pena em 10 de dezembro de 2020.

Em diferentes reportagens publicadas na *Veja* e reproduzidas nos principais veículos do país, Marcos Valério afirma ter revelações comprometedoras sobre Lula. As informações, no entanto, nunca viram a luz do dia até o momento.

Ex-tesoureiro do PT e atualmente na CUT, Delúbio Soares foi condenado a 6 anos e 8 meses por corrupção ativa, cumprindo parte da pena em casa. Já João Paulo Cunha, ex-presidente da Câmara dos Deputados, foi condenado a 6 anos e 4 meses por corrupção passiva e peculato. Ele cumpre regime semiaberto, trabalhando em um escritório de advocacia em Brasília.

As penas para os cúmplices de Marcos Valério foram mais robustas. Ramon Hollerbach, ex-sócio do publicitário, foi condenado a 27 anos, 4 meses e 20 dias por corrupção ativa, peculato, lavagem de dinheiro e evasão de divisas. Está preso em regime fechado no Complexo Penitenciário da Papuda, em Brasília, e deve ter progressão de pena em abril de 2018.

Outro ex-sócio de Valério, Cristiano Paz, foi condenado a 23 anos, 8 meses e 20 dias por corrupção ativa, peculato e lavagem de dinheiro. Está cumprindo regime fechado com progressão de pena prevista para setembro de 2017. Simone Vasconcelos, ex-diretora da SMP&B, empresa do publicitário, foi condenada a 12 anos, 7 meses e 20 dias por corrupção ativa, lavagem de dinheiro e evasão de divisas, com uma pena de formação de quadrilha que prescreveu.

Até o ex-advogado de Marcos Valério, Rogério Tolentino, foi condenado a 6 anos e 2 meses por corrupção ativa e lavagem de dinheiro. Ele passou a cumprir pena em Ribeirão das Neves, Região Metropolitana de Belo Horizonte.

Todas essas punições foram citadas para justamente chegarmos na atuação de Sérgio Moro nesse grande escândalo. Foi um caso com uma quantidade expressiva de políticos, empresários e autoridades condenados e presos.

COMO MORO ENTROU NO MENSALÃO

Após o Banestado, a fama do juiz federal cresceu sob os dois governos de Luiz Inácio Lula da Silva. Nosso juiz popularizou a lei nº 8 072, de 1990, que designa o dispositivo da delação para fins judiciários e investigativos. A boa reputação levaria Sérgio Fernando Moro para novos casos.

Em 8 de novembro de 2011, a ministra Rosa Weber assumiu a cadeira de Ellen Gracie Northfleet, a primeira mulher a ocupar o Supremo. Rosa foi indicada por Dilma Rousseff.

Gaúcha, foi ela quem recomendou o paranaense Sérgio Moro para ser seu assistente no processo do Mensalão. O caso do Banestado não foi o único do juiz a ser considerado na decisão.

Moro também fez parte de uma operação, a partir de 2004, chamada *Farol da Colina*. Encabeçada pela Polícia Federal, ela foi até 7 estados com 103 ordens de prisão e 147 mandatos de busca e apreensão.

O objetivo da PF, e do juiz Moro, foi desconstruir o esquema de doleiros que ia de São Paulo ao Amazonas, passando por Rio de Janeiro, Pernambuco, Paraíba, Pará e Minas Gerais.

Há uma linha de trabalho judiciário dele com corrupção e doleiros que foi considerado por Rosa Weber.

Para o jornalista Claudio Tognolli, biógrafo do cantor Lobão, que também havia trabalhado nas memórias do ex-deputado e delegado Romeu Tuma Junior, Sérgio Moro foi considerado na época do Mensalão um juiz *linha-dura*, rigoroso e que consegue fama a partir de seus comportamentos diante da lei.

A participação de Moro confirmou esse caráter no julgamento dos crimes de José Dirceu, José Genoino, Marcos Valério e uma variedade distinta de empresários e políticos. O juiz do Paraná ajudou a moralizar ainda mais a difícil tarefa de Joaquim Barbosa como relator da Ação Penal 470 no STF, contribuindo para agilizar o processo.

Sérgio Moro também ajudou os ministros do Supremo a perseguir o caminho do dinheiro para entender como foram pagas as propinas.

Barbosa ganhou tanta fama no processo, que foi batizado pela população como *Batman do STF*. Imitando o herói dos quadrinhos, os protestos de 2013 passaram a incorporar o combate à corrupção dos políticos metidos em negócios do governo federal. O juiz do Supremo popularizou o trabalho da sua própria instituição. A partir daquele ponto, Joaquim Barbosa trouxe à população a esperança de que a roubalheira teria um fim. Ele mostrou que existia solução por meio da Justiça para os desmandos de políticos corrompidos.

A toga de Joaquim Barbosa se transformou em sua capa. O problema que ele tinha na coluna, que lhe exigia um tratamento médico intenso, transformava as suas falas em atos de heroísmo – registrados em todas as televisões do país. Esse super-herói conquistou espaço entre a população e mesmo após sua aposentadoria do STF para seguir pela advocacia, sua voz continua reverberando nas redes sociais.

O que Barbosa não imaginava, talvez, é que o assistente de Rosa Weber era um protótipo do novo herói brasileiro. As ruas o reconheceriam em 2015 da mesma forma que fizeram com o juiz do Supremo dois anos antes.

O COMEÇO DA OPERAÇÃO LAVA JATO, O PETROLÃO

Nascida no Paraná, a Lava Jato ganhou esse nome por ter surgido inicialmente como uma rede de postos de gasolina utilizados para lavagem de dinheiro, desde 1997. As conexões guiaram até uma distribuição de propinas feita pela Petrobras do Rio de Janeiro. Na mesma onda do Mensalão, o Petrolão foi o maior escândalo de corrupção que tomou conta do Brasil e do mundo.

A primeira denúncia foi do empresário Hermes Magnus, em 2008, sendo investigada aprofundadamente anos depois. A empresa dele, a Dunel Indústria e Comércio, fabricante de máquinas e equipamentos para certificação, foi utilizada para lavar dinheiro.

Essa companhia permitiu a identificação de quatro grandes grupos criminosos, chefiados pelos doleiros Carlos Habib Chater, Alberto Youssef, Nelma Mitsue Penasso Kodama e Raul Henrique Srour. Youssef, velho conhecido de Sérgio Moro no Banestado e na Operação Farol da Colina, faria a maior aparição pública de sua vida ao falar sobre os pagamentos irregulares da maior petroleira brasileira.

A maior operação de combate à corrupção no nosso país ganhou plena popularidade em 17 de março de 2014. Naquela ocasião, aproximadamente 400 policiais federais cumpriram 81 mandados de busca e apreensão, 18 mandados de prisão preventiva, 10 mandados de prisão temporária e 19 mandados de condução coercitiva. A Lava Jato cobriu 17 cidades de 7 estados: Paraná (Curitiba, São José dos Pinhais, Londrina e Foz do Iguaçu), São Paulo (São Paulo, Mairiporã, Votuporanga, Vinhedo, Assis e Indaiatuba), Distrito Federal (Brasília, Águas Claras e Taguatinga Norte), Rio Grande do Sul (Porto Alegre), Santa Catarina (Balneário Camboriú) Rio de Janeiro (Rio de Janeiro) e Mato Grosso (Cuiabá).[11]

Tudo foi coordenado pela Justiça Federal do nosso querido Paraná.

No caso das delações de Alberto Youssef, elas envolveram uma empresa de fachada chamada de GFD Investimentos. Entre os fundadores estava o ex-deputado José Janene, vítima

---

[11] Informações da Polícia Federal. Disponível em: <http://www.pf.gov.br/agencia/noticias/2014/03/operacao-lava-jato-desarticula-rede-de-lavagem-de-dinheiro-em-7-estados>. Acesso em: 24 de maio de 2016.

de um AVC em 2010, aos 55 anos. Ele era político do Partido Progressista (PP), e foi a partir desse elo que foi possível começar a investigar as tantas figuras públicas envolvidas no esquema. E vieram as denúncias.

Indicado pela Associação dos Juízes Federais do Brasil para concorrer à vaga deixada por Joaquim Barbosa no STF, Sérgio Fernando Moro já tinha um envolvimento com a Lava Jato e coordenou as condenações em primeira instância. Moro permaneceu na Justiça Federal e a atuação dele fez toda a diferença. A vaga de Barbosa foi ocupada um ano depois por Luiz Edson Fachin. E seu trabalho como juiz nesse caso seria lembrado pela História.

A ENTRADA DE PAULO ROBERTO COSTA

O ex-diretor de abastecimento da Petrobras entre 2004 e 2012, Paulo Roberto Costa, foi preso na mesma época do início das investigações. A partir de sua delação premiada, Sérgio Moro começou a aprofundar as investigações sobre a maior petroleira nacional.

O doleiro Youssef teria adquirido um veículo Land Rover para o ex-diretor da Petrobras. A ligação entre os dois desembocou em depoimentos denunciando uma variedade de propinas que ocorriam dentro da petroleira para políticos e operadores.

Em abril de 2014, 46 pessoas estavam indiciadas no esquema e 30 estavam atrás das grades. Paulo Roberto Costa já estava preso desde o dia 20 de março. Poucos dias depois, veio a público a compra fraudulenta da refinaria de Pasadena em um documento secreto de 31 de janeiro de 2006.

Dentre os integrantes da gerência da Petrobras estava o ex-ministro da Fazenda, Guido Mantega, e até a ex-presidente Dilma Rousseff, que na época da transação ocupava a pasta de Minas e Energia.

As falas de Costa diante da Justiça para diminuir a sua pena, e confessando seus crimes, colocaram na mira das investigações as empreiteiras OAS, IESA Óleo & Gás, Construtora Camargo Corrêa, UTC Engenharia, Engevix e Construtora Queiroz Galvão. O depoimento dele também pôs em xeque as empresas vencedoras de contratos na Refinaria Abreu e Lima. Pagamentos indevidos teriam gerado uma formação de cartel e obras em diferentes locais do Brasil e com correlação aos projetos de petróleo, incluindo as reservas do pré-sal que eram exaltadas no governo Dilma como uma fonte de riqueza inesgotável.

O dinheiro envolvido com o petróleo brasileiro descoberto em 2006 e operacionalizado entre 2010 e 2011 foi cogitado para ser revertido em pelo menos R$ 134,9 bilhões para a educação nacional. O valor seria o equivalente a pelo menos 10% do PIB.

Apesar de tantas previsões otimistas, como o projeto do *Brasil Grande*, enaltecido pelo ex-presidente Lula, a Petrobras entrou numa espiral de denúncias que começou a implicar políticos do PMDB e do PP até chegar em João

Vaccari Neto, ex-tesoureiro do Partido dos Trabalhadores. A principal empresa estatal do governo federal, com forte participação dos próprios políticos, começou a perder valor de mercado e a desvalorizar fortemente na Bolsa de Valores. Numa decadência a olhos vistos, os depoimentos de Alberto Youssef e de Paulo Roberto Costa começaram a desmembrar um esquema antigo e criminoso de desmandos dentro da companhia. Corrupção que cresceu de maneira virtuosa nos anos do PT no poder.

A Lava Jato cresceria ainda mais com a prisão de novos homens-chave para a compreensão da dimensão do escândalo.

PRISÃO DE NESTOR CERVERÓ E APROFUNDAMENTO DA OPERAÇÃO LAVA JATO

Depois de Paulo Roberto Costa, a terceira prisão principal da operação aconteceu em 14 de janeiro de 2015 no aeroporto Tom Jobim, no Rio de Janeiro. Nestor Cuñat Cerveró, executivo de alto escalão da Petrobras, conhecido por um olho levemente mais baixo que o outro, foi detido naquela data.

Cerveró revelou detalhes da transição de Pasadena, escândalo dentro da Lava Jato que se conecta indiretamente com Dilma.

Há dez anos, a Petrobras pagou US$ 360 milhões por 50% da refinaria. A empresa belga Astra Oil, sócia da petroleira nacional no negócio, se desentendeu dentro da negociação dois anos depois. Uma decisão judicial obrigou a Petrobras a comprar a parte que pertencia aos belgas. A aquisição da refinaria de Pasadena custou US$ 1,18 bilhão, mais de 27 vezes o que a Astra teve de desembolsar.

Na época da delação de Nestor Cerveró, o procurador Deltan Dallagnol, da força-tarefa da Lava Jato em Curitiba, calculou que o valor total das propinas recebidas pelos envolvidos no esquema de corrupção da Petrobras e outras estatais e órgãos públicos atinge o patamar de R$ 10 bilhões. O montante inclui empreiteiras, outras estatais envolvidas e seus intermediadores.

Outro procurador da mesma operação, Carlos Fernando dos Santos Lima, estudou que pelo menos R$ 4 bilhões retornaram aos cofres públicos à medida que os indiciados eram julgados e condenados, entre as delações premiadas. Apesar de todo o dinheiro público extraviado num esquema criminoso, a Justiça de Sérgio Moro, do Ministério Público e dos eficientes investigadores da Polícia Federal funcionou e continua funcionando.

Em 15 de abril de 2015, João Vaccari Neto, tesoureiro do PT, foi preso. A cunhada de Vaccari, Marice Corrêa de Lima ficou foragida até 17 de abril, quando se entregou à polícia. A esposa de Vaccari, Gisela Lima, teve o mandado de condução coercitiva, sendo liberada após depoimento. A Polícia Federal executou dessa forma a 12ª fase da Operação Lava Jato, chegando ao coração do Partido dos Trabalhadores.

E nada disso teria sido possível sem a combinação de informações cruzadas entre Youssef, Paulo Roberto Costa e Nestor Cerveró. De Pasadena até os contratos de abastecimento da Petrobras, todos os políticos de destaque passaram a entrar nas investigações.

Cerveró disse, por exemplo, que o senador e ex-presidente Fernando Collor de Mello fazia parte de um esquema de propinas entre a BR Distribuidora e outros senadores. Os nomes incluíam Delcídio do Amaral, o ex-líder do governo Dilma, Cândido Vaccarezza, e o secretário municipal de Transportes da Prefeitura de São Paulo, Jilmar Tatto.

Já o presidente do Senado, Renan Calheiros, surgiu em denúncias como suspeito de envolvimento em fraudes na contratação do consórcio Estaleiro Rio Tietê pela Transpetro, em 2010. Com ele, algumas das principais figuras públicas da política já estavam conectadas ao grande escândalo.

Mas há duas figuras que merecem destaque especial para entender a Lava Jato: Dirceu e Cunha.

A VOLTA DE JOSÉ DIRCEU AOS HOLOFOTES

Revolucionário durante a ditadura militar – a ponto de fazer treinamento em Cuba para se tornar um agente e igualmente disposto a fazer uma plástica em seu rosto para não ser reconhecido na volta ao Brasil –, José Dirceu de Oliveira e Silva chegaria aos setenta anos com dois pesos em sua trajetória até alcançar o regime democrático brasileiro. Após ir para a cadeia no regime autoritário, ele voltaria para trás das grades em governos do seu partido de coração.

Dirceu foi um dos políticos que recebeu maior pena no processo do Mensalão justamente por ser a mente manipuladora por trás do esquema de propinas, enquadrado como um quadrilheiro. Ex-ministro de Lula, era para ele ter sentado na cadeira de presidente da República, no lugar de Dilma Rousseff e sua incompetência na política econômica. No entanto, o homem forte do lulismo envolveu-se demais no esquema de *compra de consciências* no Congresso, para utilizar expressões popularizadas pelo próprio Roberto Jefferson na época do começo dos escândalos.

Sete anos e onze meses nas costas não foram suficientes para José Dirceu. Porque ele ressurgiu e com toda a força no Petrolão. Dirceu virou alvo da Operação Lava Jato.

No epicentro da turbulência política e econômica, o nome do ex-ministro voltou às manchetes nos principais veículos de comunicação. A Polícia Federal cumpriu a 13ª fase da Operação Lava Jato em 21 de maio de 2015. Os investigadores percorreram os estados de Minas Gerais, Rio de Janeiro e São Paulo.

Na época, foi cumprido o mandado de prisão de Milton Pascowitch, engenheiro considerado um lobista da Petrobras. Outros dois mandados foram feitos: um no Rio de Janeiro e outro em Minas Gerais. Apurou-se que a empresa JD Consultoria, de José Dirceu, recebeu mais de

R$ 1,4 milhão em pagamento da Jamp Engenheiros Associados, de Pascowitch.

Desde aquela data, abriu-se uma expectativa de conexão real entre o Petrolão e o Mensalão, personificada em uma figura pública controversa. De herói na ditadura, Dirceu mergulhou fundo na carreira de corrupto da democracia.

A prisão dele não demorou muito dentro da Lava Jato.

A Polícia Federal deflagrou em 3 de agosto de 2015 a *Operação Pixuleco*. Tal fase da Lava Jato foi batizada de *Pixuleco* por conta do termo que o ex-tesoureiro do PT, João Vaccari Neto, usava para se referir à propina que enchia os bolsos da companheirada.

As autoridades cumpriram 40 mandados judiciais, dentre eles 3 de prisão preventiva, 5 de prisão temporária, 26 de busca e apreensão e 6 de condução coercitiva. Dirceu e seu irmão Luiz Eduardo de Oliveira e Silva foram presos durante a operação. Aproximadamente duzentos policiais federais participaram da ação. Celso Araripe e o lobista Fernando Antônio Guimarães Hourneaux de Moura também tiveram prisões temporárias decretadas, assim como Roberto Marques, ex-assessor de Dirceu, Olavo Hourneaux de Moura Filho, Pablo Alejandro Kipersmit e Julio César dos Santos.

José Dirceu vai responder por crimes de corrupção, lavagem de dinheiro e formação de quadrilha. Como ele estava cumprindo pena em prisão domiciliar pelo processo do Mensalão, foi direto para o regime fechado e teve de ficar frente a frente com o juiz Sérgio Moro ao longo da operação.

O FENÔMENO EDUARDO CUNHA

No período histórico da Roma Antiga, o cônsul Marco Túlio Cícero ficou famoso por discursos contra o senador Catilina. Pronunciados em 63 a.C., Cícero evitou uma guerra e uma corrupção provocada pelo republicano no seio da sociedade pré-Césares. A Operação Lava Jato, no Brasil de 2015, recuperou essa inspiração histórica para investigar um dos políticos que mais coleciona acusações de corrupção. Cunha é um profissional no assunto.

Ex-presidente da Telerj, acusado de envolvimento no caso PC Farias quando Fernando Collor de Mello era presidente da República, Eduardo Cosentino da Cunha evoluiu de deputado do baixo clero para a presidência da Casa. Ele derrotou o PT e saiu fortalecido da eleição na casa do povo.

Lobista profissional, Cunha agiu, segundo as investigações, para abrir portas e negócios para empresas de telecomunicações, bens de consumo e outros segmentos. Tudo tinha um preço e ele deliberadamente colocava os interesses privados acima dos interesses públicos.

Cunha não escapou e também foi alvo das investigações do Petrolão.

A Polícia Federal deflagrou em 15 de dezembro de 2015 uma nova etapa da Lava Jato, depois da 21ª fase, batizada de *Catilinárias*. O nome foi uma clara crítica à forma como

Cunha se comporta, segundo as denúncias, como o próprio Catilina de Roma, corrompendo a sociedade.

Os policiais cumpriram mandado de busca e apreensão na residência oficial do presidente da Câmara, em Brasília. Outros imóveis do peemedebista foram investigados no Rio de Janeiro.

A PF informou que, além das residências dos investigados, também verificou informações em escritórios de advocacia, sedes de empresas e órgãos públicos. Durante a mesma investigação, foi enviado um mandado de busca e apreensão na residência do deputado federal do PMDB do Ceará, Aníbal Gomes, e do ministro de Ciência e Tecnologia, Celso Pansera.

O núcleo das investigações da Catilinárias acertou em cheio o principal partido da base aliada de Dilma Rousseff, incluindo o senador Edison Lobão, ex-ministro de Minas e Energia, Henrique Eduardo Alves (PMDB-RN), ministro do Turismo, e Sérgio Machado, ex-presidente da Transpetro – indicado pelo PMDB.

Existia um objetivo nítido nesse procedimento, além de procurar indícios de corrupção. A Polícia Federal estava atenta para evitar que investigados destruíssem provas. Por isso não foram apurados apenas os crimes das pessoas que colecionam acusações diretas de corrupção. A cúpula da base aliada foi inteiramente investigada. Os investigadores queriam evitar queima de arquivo.

As autoridades apreenderam documentos em Recife, em Brejão, no Agreste, e em Petrolina, no Sertão. Todo o material apreendido foi encaminhado para Brasília.

Na mesma época da operação, Eduardo Cunha abriu o processo de impeachment da presidente Dilma Rousseff pelas chamadas *pedaladas fiscais*, um processo de empréstimo de bancos públicos que mostrava claramente a total ingerência da petista com as contas públicas. Uma pequena parte do dinheiro foi usada para quitar contas de programas, como o Bolsa Família. O restante foi desperdício e dinheiro público usado para encher os bolsos de empresários amigos do governo. Foi o chamado *Bolsa Empresário* do BNDES. Dinheiro caro para o Tesouro entregue barato a milionários e bilionários parceiros do PT. As ações de Dilma tornaram insustentáveis a saúde orçamentária em 2015. Ela feriu a Lei de Responsabilidade Fiscal.

No começo de 2016, o PT estava no centro do furacão da crise política. Sem ter como esconder todos os desvios de dinheiro e de conduta, a Lava Jato foi se aprofundando completamente em todos os casos de corrupção real do país.

BUMLAI, O TRÍPLEX E O SÍTIO DE LULA

Com as investigações sobre Youssef, Paulo Roberto Costa, Cerveró, Dirceu, Vaccari e Cunha, o juiz Sérgio Moro se tornou o grande astro do retorno da moral para a ordem republicana brasileira, por meio de petições e perguntas pertinentes em longos interrogatórios, a condução das investigações, e as decisões de Moro eram aulas da boa aplicação da legislação brasileira.

Precisamos lembrar que em 25 de novembro de 2015, o líder do PT no Senado, Delcídio do Amaral, foi preso pela Lava Jato junto com o banqueiro André Esteves, dono do BTG Pactual. Em grampos telefônicos, Delcídio teria tentado oferecer um auxílio para fuga de Nestor Cerveró, mostrando uma clara intervenção de um quadro importante do governo nas investigações.

Porém, o caso não ficou apenas no Senado.

O Ministério Público Federal apresentou uma denúncia contra o pecuarista José Carlos Bumlai e contra mais dez pessoas por crimes de lavagem de dinheiro, gestão fraudulenta, corrupção ativa e passiva, em 14 de dezembro de 2015. Bumlai é amigo íntimo do ex-presidente Lula.

Na mesma época, os procuradores também pediram reparação por danos causados à Petrobras de R$ 53,5 milhões.

De onde saiu tanto dinheiro? A denúncia trata de um esquema de corrupção devido à escolha da Schahin Engenharia para o contrato de operação do navio-sonda Vitória 10 000 pela área internacional, em 2009. Por essa denúncia robusta, Bumlai foi preso, convidado a fazer uma delação premiada, e se manteve em silêncio. Provavelmente para não prejudicar o amigo do alto escalão do PT.

Mas a questão do pecuarista não ficaria restrita às propinas da Petrobras num segmento internacional. Ela entraria na vida pessoal de Lula.

A Polícia Federal deflagrou a Operação Aletheia, em 4 de março de 2016, sobre a qual já falamos anteriormente. As autoridades chegaram ao coração da corrupção, envolvendo importantes figuras próximas do governo federal.

Os alvos foram o ex-presidente da República, Luiz Inácio Lula da Silva, seus dois filhos, a esposa Marisa Letícia e Paulo Okamoto, amigo pessoal do ex-presidente e diretor do Instituto Lula. Os policiais, no entanto, não apenas investigaram as figuras, como chegaram a imóveis que, segundo as investigações, eram do ex-presidente.

Desde janeiro de 2016, a imprensa divulgou denúncias de um apartamento tríplex remodelado pela empreiteira OAS no Guarujá, em São Paulo. Lula não teria comprado o imóvel, mas estava em vias de adquiri-lo. Para os investigadores, Lula era o dono oculto do imóvel. A negociata seria para lavar dinheiro roubado do Petrolão.

Outra polêmica envolvendo o ex-presidente ganhou força em fevereiro do mesmo ano, quando veio à tona que ele utilizara um sítio em Atibaia após a presidência da República, e teria levado móveis do Palácio do Planalto até lá. Vale lembrar que as denúncias se agruparam com suspeitas de que Lula teria atuado fazendo lobby pela empreiteira Odebrecht em países da África, como Gana. O sítio, chamado Santa Bárbara, pertence a Fernando Bittar, filho de Jacó Bittar, fundador do PT. O outro proprietário é o empresário Jonas Suassuna. Os dois são sócios de Fábio

Luís da Silva, o Lulinha, filho do ex-presidente. Nas investigações, os proprietários foram acusados de ser laranjas do negócio, o que a defesa nega.

No local, uma reforma foi calculada em R$ 1 milhão e envolve as empresas Odebrecht e OAS. O imóvel foi comprado por R$ 1,5 milhão em outubro de 2010.

Dentro do sítio foram encontradas fotos e provas de que José Carlos Bumlai frequentava a propriedade com Lula. A PF também investiga crimes com mandados judiciais em Salvador, Rio de Janeiro, Diadema, Santo André e Manduri.

A intimação do ex-presidente Lula a depor na sede da Polícia Federal, no aeroporto de Congonhas, repercutiu na imprensa internacional e mudou o Brasil.

O tríplex no Guarujá era uma prova mais tênue, mas Atibaia colocou Lula no centro das investigações. O problema saiu de políticos coadjuvantes do PT para englobar o nome mais forte do partido. A verdade por trás de um governo federal que se prolongou por mais de treze anos se tornou clara e transparente. E as empreiteiras mais poderosas do Brasil seriam investigadas como corruptoras do poder público. A ponto de pagar sítios e propriedades de grandes personalidades políticas, o Petrolão se tornou uma evolução natural do Mensalão.

Após sair da prisão, no início de março de 2016, Delcídio do Amaral fez sua delação premiada. Além de citar Lula e Dilma como políticos cientes das propinas da

Petrobras, o senador também falou do tucano Aécio Neves envolvido na Lista de Furnas, um escândalo de caixa dois de políticos do PSDB vindo de Minas Gerais. Expulso posteriormente do PT, Delcídio não poupou aliados e nem adversários para tentar reduzir sua pena até o julgamento final dos processos.

O caso de Lula e dos delatores finais da Lava Jato evidencia um grande problema que existe na iniciativa privada e que se reflete na corrupção pública.

O CASO MARCELO ODEBRECHT

Entre o empresariado, a prisão de André Esteves, do BTG Pactual, assustou consideravelmente os principais executivos vinculados a empresas estatais ou de capital misto, em 2015. Envolver-se no governo Dilma Rousseff, no meio desse turbilhão de acontecimentos, tornou-se um problema dos grandes.

Mas a temporada de Esteves atrás das grades não assustou tanto quanto a de Marcelo Bahia Odebrecht. Em 19 de junho de 2015, a Polícia Federal deflagrou a 14ª fase com nome *Erga Omnes*, expressão latina que significa *vale para todos*.

Essa etapa da Lava Jato ocorreu antes dos casos que envolveram diretamente Lula, especificamente sobre o tríplex e o sítio. Mesmo assim, já era uma demonstração que o trabalho do juiz Moro era, de fato, desprovido de qualquer viés partidário. Todos os envolvidos em esquemas irregulares da Petrobras foram afetados pelas investigações.

Naquela ocasião de 2015, os alvos foram as empreiteiras Odebrecht e Andrade Gutierrez. Foram presos na operação os presidentes Marcelo Odebrecht e Otávio Azevedo, da Andrade Gutierrez. Também foram presos os diretores da Odebrecht Marcio Faria, Rogério Araújo e Alexandrino Alencar.

Os policiais cumpriram 38 mandados de busca e apreensão, 8 de prisão preventiva, 4 de prisão temporária e 9 de condução coercitiva. Os mandados judiciais foram cumpridos em São Paulo, Rio de Janeiro, Minas Gerais e Porto Alegre. E a imprensa ventilou que a delação premiada de Marcelo Odebrecht seria capaz de *derrubar a República*.

A fonte da declaração, publicada na revista *Época*,[12] foi Emílio Alves Odebrecht, o pai de Marcelo. O empresário foi taxativo. "Terão que construir mais três celas: para mim, Lula e Dilma", alegou em entrevista à publicação. O patriarca deixava claro que Marcelo seria capaz de, talvez, derrubar o governo do PT com as revelações que faria em sua confissão. O acordo começou a ser negociado. As informações subsequentes ainda não foram publicadas.

Enquanto o Brasil esperava para saber dos segredos de Marcelo Odebrecht com o governo petista, a República, no entanto, continuava a ser mexida por uma história

---

12 Disponível em: <http://epoca.globo.com/tempo/noticia/2015/06/marcelo-odebrecht-ameaca-derrubar-republica.html>. Acesso em: 30 de maio de 2016.

muito mal explicada acerca de uma propriedade de Lula no interior de São Paulo. Vamos relembrar as ligações com a empreiteira baiana. Os autores da reforma no sítio foram empreiteiros da Odebrecht. *Voilà*! Então a OAS está, segundo a Justiça, na negociata do tríplex do Guarujá. O assalto aos cofres públicos ocorre por intermédio dessas empresas graças ao interesse dos políticos mencionados em diferentes denúncias do juiz Sérgio Fernando Moro.

O PAPEL DOS *PANAMA PAPERS*

Um braço internacional dos escândalos recentes do Brasil apareceu num noticiário recente. Trata-se de um conjunto de 11,5 milhões de documentos confidenciais dos advogados do escritório panamenho Mossack Fonseca, com filial na avenida Paulista, em São Paulo. As informações são equivalentes e 2,6 TB em espaço digital, e receberam o nome de *Panama Papers*.

Os arquivos fornecem um cruzamento de dados e uma teia detalhada de mais de 214 mil empresas de paraísos fiscais *offshore*, incluindo as identidades dos acionistas e administradores. Os dados são da década de 1970 e vão até início de 2016.

A informação foi primeiramente enviada por uma fonte anônima para o jornal alemão *Süddeutsche Zeitung*, em 2015. Devido à complexidade dos dados, a informação não foi publicada e repassada ao Consórcio Internacional de

Jornalistas Investigativos (ICIJ), com sede em Washington, nos Estados Unidos.

Os documentos foram distribuídos e analisados por jornalistas de 107 órgãos de comunicação social em mais de 80 países. No Brasil, a apuração ficou nas mãos de Fernando Rodrigues, André Shalders, Mateus Netzel e Douglas Pereira, do portal UOL; Diego Vega e Mauro Tagliaferri, da RedeTV!; além de José Roberto de Toledo, Daniel Bramatti, Rodrigo Burgarelli, Guilherme Jardim Duarte e Isabela Bonfim, do jornal *O Estado de S. Paulo*. As investigações ficaram um ano em depuração e foram publicadas em abril de 2016.

Como tantos documentos se conectam com a Lava Jato? O empresário e advogado Ricardo Andrade Magro, ex-advogado de Eduardo Cunha, apareceu com abertura em seis empresas *offshore*, diretamente conectadas com a Mossack Fonseca.

A Refinaria de Manguinhos, empresa adquirida pela família do advogado em 2008, foi acusada por uma Comissão Parlamentar de Inquérito da Assembleia Legislativa do Rio, em 2010. Ele teria comandado um esquema de evasão fiscal que causou um prejuízo estimado em R$ 850 milhões.

Empresas *offshore* são construídas fora de zonas de fiscalização, utilizadas para sonegação de impostos e aumento de capital. São locais ideais para negócios irregulares, lobistas, políticos e figuras públicas aumentarem seu capital. O escândalo dos *Panama Papers* atingiu desde o presidente russo Vladimir Putin, passando por políticos brasileiros, até o ator Jackie Chan. Não se sabe se todas as empresas *offshore* são ilegais ou se são apenas companhias abertas fora de seu país de origem.

Cunha é acusado de estar envolvido nesse esquema, assim como de atuar como um dos operadores na Lava Jato.

PAPEL DE MORO NA REDE DE ESCÂNDALOS

O juiz nascido em Maringá ganhou o Brasil e o mundo por meio do estudo e da execução de mandados da Operação Lava Jato. Numa ação afinada com as denúncias protocoladas no Ministério Público e executada pela Polícia Federal, Moro provou que a Justiça, de fato, existe para também punir poderosos.

Interessante notar que o juiz federal esteve em escândalos conectados e os próprios casos de corrupção estabelecem pontes entre si próprias.

Uma tabela de 34 páginas com 747 obras do doleiro Alberto Youssef, apreendida em março de 2014, abriu espaço para conectar o Petrolão, a falta de água da Sabesp entre 2014 e 2015, além do cartel de empresas do Metrô de São Paulo.

Para esse caso, o Ministério Público do Estado de São Paulo abriu três investigações dentro da Operação Lava Jato para verificar obras da Sabesp, a construção da estação Vila Prudente e projetos de refinarias da Petrobras. O pedido veio pelo promotor de justiça Silvio Marques, da divisão de Patrimônio Público.

A ação isolada em São Paulo é diferente do trabalho de Moro em Curitiba. Mas essa integração entre desvios de verba mostra que o MP age em conjunto com ações já estabelecidas. A Sabesp, em São Paulo, foi alvo de um inquérito que apurou as obras emergenciais e pelo menos R$ 160 milhões foram gastos em iniciativas sem licitações públicas. A investigação desse inquérito aponta para um valor bilionário entre todo o dinheiro desviado.

A Sabesp é questionada nas três investigações a respeito da implantação da estação de tratamento de água Jurubatuba, no Guarujá, da obra da adutora Guaraú-Jaraguá, na Grande São Paulo, e da tubulação da Sabesp em Franca.

Para a atuação do Moro, esses questionamentos da Sabesp aparecem na mesma lista de propinas da Petrobras. A empresa estatal influenciada politicamente é citada em noventa projetos ligados à Refinaria de Paulínia (Replan), Refinaria Capuava (Recap), da região metropolitana, e Refinaria Henrique Lage (Revap), de São José dos Campos.[13]

O trabalho de Moro foi fundamental para estabelecer todas as conexões. De Youssef a Dirceu, de Paulo Roberto Costa a Delcídio do Amaral, passando pelas denúncias sobre Lula, a Lava Jato deixará uma marca positiva no Brasil.

E nada passará batido.

---

13 Disponível em: <http://www.diariodocentrodomundo.com.br/como-os-malfeitos-da-sabesp-se-interligam-com-os-escandalos-do-trensalao-e-da-petrobras/>. Acesso em: 24 de maio de 2016.

5.

OS GOLPES CONTRA MORO NA LAVA JATO

Quem são as forças políticas que condenam a atuação de Sérgio Fernando Moro como juiz? Como funciona o jogo da mídia? Do que acusam o magistrado que deflagrou a maior investigação de corrupção da História?

Sérgio Moro, que desmantelou tantas quadrilhas, também enfrentou muitos críticos. A força do nosso juiz federal de primeira instância atuando de forma irretocável num processo complexo como a Lava Jato incomodou muitos, entre corruptos, corruptores e apoiadores das ilegalidades. Ele foi alvo de muitas críticas. Incomodar bandos e gangues não é um trabalho fácil. Nosso protagonista é questionado justamente por sua ousadia, qualidade técnica e retidão profissional.

Moro se recusa a ser mais um agente público de uma Justiça falha, lenta e até criminosa. Ele não quer ser apenas mais um em sua carreira que não compreende a capacidade humana e social de seu trabalho.

Moro revolucionou. Ele foi além dos padrões de sua profissão para tornar a delação premiada uma ferramenta para conectar informações a ponto de desmantelar grandes esquemas de corrupção. O juiz da 13ª Vara Federal

Criminal de Curitiba tornou pública algumas das maiores vergonhas da República.

Moro desnudou os reais roubos de colarinho branco.

Mesmo honrando a profissão ao atuar de maneira digna e irretocável, nosso juiz foi vítima de ataques sórdidos em sua vida pública. Para entender o fenômeno Sérgio Moro, também fomos atrás de seus detratores.

Ao mexer com políticos e grandes empresários, Moro provocou os ânimos de parcelas significativas de um grupo intelectualizado e também figuras que recebiam vantagens com os esquemas. Esses críticos formaram uma rede para atacar Moro. Enquanto a turminha do mal trabalhava para manchar a reputação do comandante da Lava Jato, para desacreditá-lo e fragilizá-lo, ele seguia em frente junto a procuradores e à Polícia Federal.

Figuras dos mais diversos grupos eram presas e sabiam que a lei não seria branda dessa vez. Com a certeza da punição e para aliviar as próprias penas, presos importantes começavam a entregar seus comparsas. Eles delatavam os esquemas para reduzir as punições, os anos que amargariam na cadeia. Apesar disso, vale reforçar que a delação premiada, apesar de ser uma colaboração com a Justiça, não faz do preso um alcaguete ou um criminoso fofoqueiro. Não.

Quem delata deve entregar provas do que está afirmando, deve mostrar o caminho da corrupção que praticou.

Quem mente não só perde o benefício, como pode ter a pena ampliada. Trocando em miúdos, só alguém que quisesse prejudicar a si próprio faria uma delação falsa. Seria pura estupidez. Digo isso para que tenhamos a certeza de que as delações ajudam e muito no processo de investigação. Com as delações premiadas, a Justiça aplicada por Sérgio Moro crescia e se tornava mais eficaz. Quanto mais ele trabalhava, mais desagradava aos poderosos.

Quando a presidente Dilma Rousseff partiu para o ataque, o Brasil já sabia que um dos alvos seria Moro. Ora, se não houve cuidado e escrúpulos com o país, que dirá com alguém que faz justiça e, consequentemente, atinge a medula de um esquema criminoso de poder? A petista ensaiou e recitou o mantra do *golpe* incontáveis vezes, com fiéis repetidores da mesma falácia. Solenidades públicas, eventos no Palácio da Alvorada, pronunciamentos em cadeia de rádio e TV foram usados como palanque político para atacar quem queria e quem fazia justiça. A tentativa era transformar o processo democrático do impeachment, previsto na Constituição, no tal golpismo. A tática é sempre a mesma. Repetir uma mentira o máximo possível para convencer os mais desavisados, os menos politizados, ou, simplesmente, os mais ingênuos. Enquanto Dilma e seus aliados faziam o jogo de cena, os ataques sujos contra Sérgio Fernando Moro continuavam. Vamos entrar, então, nos detalhes dos golpes contra Moro.

O JORNALISMO ENGAJADO EM PROTEGER O GOVERNO DILMA

De 2011 para cá, aconteceu um *fenômeno* pró-PT. Que fique claro que essa onda vermelha vale pouco, mas custou e custa muito. Pois bem, na internet brasileira apareciam os mais diferentes sites que engrossavam o coro *governista* para defender Dilma e o PT diante dos escândalos de corrupção. Parecia que aquela turma morava em um país, do tipo mundo de Alice, e nós, reles pagadores de impostos e mantenedores das mamatas dessa gente, morava em outro país com uma realidade bem diferente. Até aquele ano, jornalistas como Paulo Henrique Amorim, Luís Nassif, Luiz Carlos Azenha e Mino Carta já publicavam artigos que louvavam os feitos da gestão e não davam eco para as investigações da Lava Jato, pelo contrário, a artilharia era pesada em cima da operação que faxinava a República.

E com o passar dos anos, o tom da cobertura dos chamados *progressistas*, amigos da esquerda, piorou. Surgiram sites como Brasil 247, do Leonardo Attuch, e o Diário do Centro do Mundo, do Paulo Nogueira – páginas empenhadas em desacreditar quaisquer operações que põem em xeque o governo petista. Grandes veículos como *Folha de S. Paulo*, *O Estado de S. Paulo*, *Veja* e a Globo continuavam fazendo o trabalho, apesar de um ou outro, de vez em quando, ter ataques de esquerdismo, ou trabalhar num tom abaixo do necessário para o momento. Mas em geral as informações estavam lá. Enquanto isso, blogueiros seguiam com o firme intuito de defender o PT no poder e denegrir a Lava Jato e seus comandantes.

Paulo Henrique Amorim acumulou processos da *Veja*, executados quando Diogo Mainardi era colunista, e da própria TV Globo. Na sua onda de caluniar personalidades que surgem para criticar o PT, ele não poupou nem um pouco o tom em seus comentários sobre o nosso juiz do Paraná.

No artigo de seu blog Conversa Afiada, publicado em 4 de março de 2016, PHA disse que "Moro é um golpista". Sim, acredite! Ele seguiu escrevendo o que os companheiros queriam e mandavam porque pagavam a fatura. Era a voz do PT que dizia que o juiz federal estava investigando um único partido e que, por essa única razão, era suspeito. O blá-blá-blá de sempre. Qualquer cidadão que acompanhe minimamente a política brasileira entende que isso é uma bobagem sem tamanho. Basta rever todas as fases da Lava Jato. Os fatos saltam aos olhos. Não há nem nunca houve qualquer partidarismo no trabalho do juiz Sérgio Moro, ao contrário do desserviço que Paulo Henrique publica na internet. Cada ação da Lava Jato mostrava que jamais haveria protegidos. Sobrou para uma boa parte dos partidos. O que os simpatizantes vermelhos não quiseram contar era que o centro do esquema sempre foi o PT, logo mais gente do partido e seus amigos bilionários seriam pegos com a boca na botija.

O blogueiro também afirma que "a cabeça do Lula foi o que ele sempre quis" ao se referir ao juiz federal. Ele reproduz a defesa de Roberto Teixeira e Cristiano Zanin Martins, advogados do ex-presidente, como se fossem notícias. Em montagens de caráter no mínimo duvidoso, o jornalista que age como relações públicas do governo compara as investigações da Polícia Federal no Instituto Lula com as ações da SS, polícia política de Adolf Hitler, com as lojas de judeus na Alemanha durante a Segunda Guerra Mundial. Sim, parece insanidade, mas acredite, não é.

Paulo Henrique Amorim dedica pelo menos 86 artigos diretamente a Sérgio Moro, referindo-se à força-tarefa da Lava Jato como *Gestapo* e ao juiz como mentiroso e pessoa que fere a lei. As referências ao nazismo preenchem seu blog.

O DCM de Paulo Nogueira afirma que Moro teve uma formação *carola* por ter uma mãe religiosa e um pai rigoroso. E acusa o juiz de ser favorável à *mídia golpista* por ter retirado o sigilo dos grampos de Dilma e de Lula, que foram publicados pela Globo e depois pela maioria dos grupos de comunicação do país. Sérgio Moro recebeu o prêmio "Faz Diferença" em 2015 do jornal *O Globo* e se tornou uma das cem personalidades do ano da revista *Time*, em 2016. O blog parece se ressentir diante do sucesso do juiz.

Mino Carta, em sua revista, diz que o impeachment de Dilma foi um golpe "pior do que em 1964" e seus jornalistas colocam os grampos feitos pela força-tarefa como se fossem ações ilegais e não investigativas. O sensacionalista Brasil 247 diz que Moro deslegitima "o processo democrático".

Sustentados por dinheiro público, através de estatais como Caixa Econômica Federal, Banco do Brasil e Petrobras, esses sites se prestam à desinformação e caluniam o juiz Moro ao fazer comparações completamente absurdas com a Alemanha da era nazista. Eles foram responsáveis por alguns dos piores golpes na Operação Lava Jato.

Moro, no entanto, não se intimidou nem um pouco. Inspirado na Mãos Limpas italiana, nosso juiz teve grandes jornalistas como seus aliados na publicidade dos passos da operação. Ele não foi sabotado por esses profissionais com credibilidade, que fizeram as perguntas certas nos momentos certos e instigaram seus leitores a entender a mudança que a Lava Jato estava provocando no país.

O juiz da Vara de Curitiba agiu acima das críticas e se manteve discreto durante todo o procedimento. Procuradores como Deltan Dallagnol e Carlos Lima falavam abertamente em coletivas de imprensa que eles estavam dispostos a ouvir críticas. "Estamos aqui dispostos a explicar todos os detalhes dos nossos procedimentos para que não fiquem dúvidas", disse Lima em um evento em São Paulo.

Sabendo que seus propósitos são justos, Moro e sua equipe não tremeram diante de ataques vindos dessa pseudoimprensa, pautada por interesses políticos e de olho em gordas verbas públicas. Ele seguiu e, mesmo quando os maiores veículos, por má-fé ou desinformação, atacavam nas entrelinhas a Lava Jato, ele não se abalava. Moro tem um lema: não se deixa seduzir por elogios e não se deixa derrubar por críticas e mentiras. A Justiça foi maior do que os golpes da mídia.

RESISTÊNCIAS DENTRO DO JUDICIÁRIO

Desde, pelo menos, novembro de 2014, Sérgio Moro também é atacado por seus pares. O ministro José Múcio Monteiro, atual titular do Tribunal de Contas da União (TCU), afirmou na época que a Lava Jato é um processo *doloroso, mas necessário*. E ele questionou a possibilidade da emoção tomar conta de um procedimento jurídico. Basicamente, Monteiro questionou a isenção de Moro no caso.

No ano seguinte, mais dois nomes do Direito brasileiro se manifestaram contra Sérgio Moro. Celso Antônio Bandeira de Mello criticou a convocação à imprensa feita pelo procurador da Lava Jato, Carlos Lima, que apontou semelhanças entre o Petrolão e o Mensalão. Um caso era claramente a continuidade do outro, com a diferença do tamanho. O crescimento dos valores da corrupção foi exponencial. O jurista Luiz Flávio Gomes disse que suporte da mídia é de um *populismo primitivo* suspeito. LFG afirmou que, se Moro age dentro da lei, não precisaria fazer isso. Ele se referia à divulgação dos grampos telefônicos em que Dilma e Lula negociam a nomeação dele para a Casa Civil, para livrá-lo da cadeia. Ora, o jurista parece ter propositalmente se esquecido do princípio básico da publicidade em matéria de interesse público.

O jurista Dalmo Dallari, advogado de defesa de Lula na época da ditadura militar e professor emérito de Direito na USP, criticou a condução coercitiva do ex-presidente e o pedido de prisão preventiva feito pelos promotores José Carlos Blat, Cássio Conserino e Fernando Henrique Araújo. "É um absurdo completo, total, afirmar que ele mantido em liberdade representa um risco pra ordem pública", disse, em 11 de março de 2016.[14]

O mesmo Dallari afirmou que os grampos de Lula nos quais Dilma é ouvida negociando o ministério, e enviados por Moro à imprensa, não representam uma tentativa de obstruir a Justiça. E emendou afirmando que a gravação foi ilegal, assim como sua divulgação. Bem, ele estava defendendo seu cliente. Esperar o quê?

A partir desse caso dos grampos, os ministros do STF Teori Zavascki e Marco Aurélio Mello também criticaram a decisão de Sérgio Moro em optar pela divulgação pública das informações. Como relator do caso da Lava Jato no Supremo, Teori retirou o caso das mãos de Moro, alegando que Dilma, que tem foro privilegiado, estava nas gravações. Na prática, Teori ajudou a petista, e Lula permaneceu no impasse de se tornar ministro-chefe da Casa Civil de Dilma. Marco Aurélio Mello, primo do ex-presidente Fernando Collor de Mello, aquele que sofreu impeachment,

---

14 Disponível em: <http://g1.globo.com/jornal-nacional/noticia/2016/03/juristas-criticam-o-pedido-de-prisao-preventiva-do-ex-presidente-lula.html>. Acesso em: 24 de maio de 2016.

endossou as opiniões do relator. O momento era um tanto quanto nebuloso na Corte maior do país.

No Supremo, o único ministro que claramente ficou favorável a Moro foi Gilmar Mendes, a grande voz da sensatez naquela Corte. Ele reconheceu o papel do juiz de primeira instância no caso de Luiz Inácio Lula da Silva dentro das investigações da Operação Lava Jato. Gilmar Mendes muitas vezes é aquele que, sozinho no STF, enfrenta uma corte que flerta com o modelo bolivariano.

Em maio de 2016, no entanto, o procurador-geral da República, Rodrigo Janot, resolveu tomar uma atitude e solicitou ao Supremo autorização para investigar Dilma Rousseff e emendou, enfim, uma denúncia contra Lula. Trocando em miúdos, ele deu aval às investigações impecáveis de Moro no âmbito do STF.

Essas autoridades mobilizadas e claramente defensoras dos petistas no processo da Lava Jato não foram suficientes para interferir na atuação profissional de Sérgio Moro. O homem da Lava Jato não se curvou diante de ninguém, nem de juristas mal-intencionados, nem de políticos corruptos, nem de jornalistas claramente dispostos a acobertar o escândalo.

COM TANTOS ATAQUES, DE ONDE VEM A FORÇA DE MORO?

Respondendo em duas palavras: das ruas!

Quem acompanhou as grandes manifestações a favor do país, pelo impeachment de Dilma e contra a corrupção, viu bonecos infláveis pequenos com o rosto de Moro. Apesar de não gostar de ser tratado dessa forma, era visto como um herói. Cartazes de pessoas agradecidas e emocionadas exaltam seus feitos. Todos eram Moro. Todos eram Brasil.

Movimentos democráticos clamavam por justiça. Eles cresciam exponencialmente. Eram muitos surgindo. E eles foram fundamentais. Os grupos representavam uma nação indignada. Num primeiro momento, eles mostraram que podíamos mais. O povo foi às ruas. Tive a chance de estar bem perto de grupos como Vem Pra Rua, Nas Ruas, Aliança Brasil, Mulheres da Inconfidência, 10 Medidas contra a Corrupção, Movimento Brasil Livre (MBL) e tantos outros. Viajei pelo país apoiando, palestrando e participando das estratégias com esses guerreiros. Os brasileiros queriam dar um basta! Já não era mais possível conviver com os desmandos do PT e de outros políticos corruptos. A esperança estava em Sérgio Moro, o rosto das manifestações provocadas pelos movimentos e encampadas pela população.

O juiz de primeira instância estava dando uma saída para os problemas políticos do nosso país. Destronar a corrupção era algo inimaginável num passado recente. E é importante entender como o rosto de Moro tornou-se a máscara das ruas.

6.

O PROCESSO DE IMPEACHMENT DE DILMA E O PAPEL DO JUIZ

Como o impedimento da presidente da República se conecta à Operação Lava Jato? Qual foi o papel de Moro nesse processo?

Dilma Rousseff foi afastada do poder em 12 de maio de 2016, após um longo e desgastante processo de impeachment. O Senado, ouvindo a voz das ruas e com todas as provas em mãos de que ela cometera crimes de responsabilidade, fez o seu papel. A petista foi afastada das funções de presidente, deixou o Palácio do Planalto, mas se manteve com todas as mordomias no Palácio da Alvorada enquanto o Senado, agora um tribunal, fazia seu trabalho de cassar o mandato de Dilma em caráter definitivo. Em seu lugar, assumiu o vice Michel Temer, com a difícil missão de unificar o país fraturado por um governo dúbio, fraco, incompetente e corrupto.

Mas vamos entender, passo a passo, como Dilma foi afastada e quão mentiroso foi o argumento petista do tal *golpe de Estado*.

AS PEDALADAS FISCAIS E O COMEÇO DO IMPEDIMENTO

A popularidade de Dilma Rousseff despencou de cerca de 30% para menos de 10% entre 2012 e 2016. Isso se deveu à péssima condução das políticas econômicas do governo federal. Elas, sozinhas, ceifaram o emprego de 11 milhões de trabalhadores. O PT, um partido comprometido com causas dos ditos *proletários*, cortou 10% dos empregos, travou o desenvolvimento e criou uma massa de miseráveis.

Com essa situação de calamidade diante da população, e as investigações de Sérgio Moro prosperando, 37 pedidos de impeachment foram protocolados na Câmara dos Deputados contra Dilma até setembro de 2015. Especulava-se que os pedidos não iriam para frente enquanto a aliança PT e PMDB permanecesse. Mas as delações premiadas passaram a comprometer o antigo partido do saudoso doutor Ulysses Guimarães.

E acertou, em cheio, o presidente da Câmara dos Deputados, Eduardo Cosentino da Cunha. Contas na Suíça foram reveladas envolvendo ele, a esposa Cláudia Cruz, ex-apresentadora de telejornais da Rede Globo, e a filha Danielle Dytz da Cunha, que é publicitária.

Então, as cúpulas do PT e do PMDB, os maiores empreiteiros do Brasil e figuras de outros partidos da base estavam enrolados no Petrolão. O PT até tentou negociar com Cunha, seu arqui-inimigo, uma ponte mútua de salvação, mas já era tarde demais. Milhões de brasileiros se levantaram em coro único exigindo justiça. A roubalheira açoitava uma nação. Como manter um governo destruindo um país? Ninguém conseguiria segurar o impeachment. O então presidente da Casa teve que acolher o pedido redigido pelos juristas Hélio Bicudo, Miguel Reale Júnior e Janaína Conceição Paschoal. Eles tinham o aval das mobilizações sociais pró-impeachment, uma aliança com 43 movimentos democráticos de brasileiros que se sentiam roubados no bolso e na esperança.

Durante os protestos, houve a organização de um abaixo-assinado em apoio ao impeachment da então presidente da República. A petição inicial tinha três pilares claros: o Petrolão, os decretos de crédito suplementar e as pedaladas. Cunha aceitou parcialmente a denúncia. Pulou a parte dos crimes envolvendo o propinoduto, afinal, ele também era investigado, então era um *esquecimento* de autoproteção. Mas o principal argumento de Bicudo, Reale e Janaína foi aceito. Dilma Rousseff responderia por crime de responsabilidade por praticar as pedaladas fiscais e assinar seis decretos de crédito suplementar sem autorização do Congresso.

E o que é pedalada fiscal, Joice?

As pedaladas são, na verdade, empréstimos que o governo fez nos bancos públicos, como Caixa Econômica Federal, BNDES e Banco do Brasil. A desculpa esfarrapada da equipe econômica é que o dinheiro supostamente foi usado para pagar a conta de programas sociais, como o Bolsa Família e o Minha Casa, Minha Vida. Conversa-fiada. Mas ainda que fosse verdade, seria ilegal. A Lei de Responsabilidade Fiscal proíbe os empréstimos e ponto. Bancos públicos não são o cofrinho nem de um governo, muito menos de um chefe do Executivo. Os empréstimos ilegais foram feitos num volume estratosférico em ano eleitoral. Dilma usou o dinheiro para ganhar a eleição. Ela escondeu a situação falimentar do Tesouro Nacional.

Vamos entender mais. A maior parte do dinheiro foi usado para o chamado *Bolsa Empresário*, que reúne o Plano Safra do Banco do Brasil e o Programa de Sustentação do Investimento (PSI) do BNDES. É dinheiro caro para o Tesouro, ou seja, para o nosso bolso, que chega barato nos bolsos de alguns sortudos, em geral, os de muita proximidade com o governo. Simples, não é? Os brasileiros todos ajudaram a sustentar empréstimos milionários para parceiros do PT. Na comissão do Senado, Janaína Paschoal escancarou a verdade para todo o Brasil ver. Quem foram os verdadeiros beneficiários? Grandes empresários, donos de grandes fortunas e amigos do governo que receberam dinheiro com juros subsidiados. Essa é a responsabilidade social do PT.

E veja: o governo não só permitiu, como mandou os bancos públicos anteciparem esses pagamentos e a farra maior, como já disse inúmeras vezes em meus vídeos, em 2014, ano eleitoral. Então, resumindo, Dilma criou um plano para esconder a situação fiscal do país e criou uma bomba-relógio na economia.

E os decretos? Vamos lá. Com as contas no vermelho, o governo no *cheque especial* – cuja conta é paga por nós, contribuintes –, Dilma foi além. Entre 2014 e 2015, editou decretos para abertura de créditos suplementares. Foi mais uma pancada na Constituição, mais precisamente no artigo 85, que diz que é crime contra a Constituição atos da presidente que atentem contra a lei orçamentária. E mais: pela lei 1 079, de 1950, ela não poderia ter autorizado a abertura de crédito em desacordo com os limites estabelecidos pelo Senado. Então, Dilma não tinha autorização nem dinheiro, e resolveu inventar um superávit com dados que nunca existiram para alterar a meta fiscal. Esse tipo de pegadinha um chefe do Executivo não pode aplicar numa nação. Isso tem um nome: crime.

E vamos aos números para mostrar o tamanho do rombo. O dinheiro saiu das instituições em quantias generosas. Um empréstimo, só numa pedalada entre 2013 e 2014, equivaleu sozinho a R$ 52 bilhões! Isso mesmo que você leu.

O rombo nas contas públicas, em um ano, equivale sozinho a R$ 100 bilhões, segundo o próprio governo. Dilma alega que pagou as dívidas no fim de 2015. Dá para acreditar nisso? Nunca antes na história deste país se viu tanta irresponsabilidade e deboche com o dinheiro público.

OS GRAMPOS DE DILMA E LULA COMO CATALISADORES DO PROCESSO

O PT e seus aliados começaram a engrossar o coro descontente com o discurso de que o impeachment seria uma vingança de Cunha contra o governo porque responde a um processo no Conselho de Ética por quebra de decoro parlamentar. Ele foi acusado de mentir ao dizer que não possui contas bancárias secretas na Suíça. Revanchismos à parte, Cunha fez o que qualquer outro presidente teria que fazer. A economia estava sendo destruída. Mas uma ação de Moro foi um trator em cima dos argumentos do governo. O juiz da Vara Federal do Paraná trouxe um elemento novo ao caso que mudou tudo. De novo.

Os grampos envolvendo o ex-presidente Luiz Inácio Lula da Silva e Dilma Rousseff, na tentativa de transformá-lo em ministro-chefe da Casa Civil, mostraram o que estava por trás dos panos. Estava muito claro ali: era uma chefe de Estado acobertando um dos maiores quadros do seu partido que estava na iminência de ser preso. Ou seja, Lula e Dilma tentaram enganar a Justiça para que ele trocasse uma cela por um ministério.

Lula, como ministro, gozaria do foro privilegiado, um recurso para mandar seu processo diretamente ao STF.

As escutas preencheram o noticiário e deram gás para os protestos de rua. O dia 13 de março de 2016 levou milhões de brasileiros às ruas ao lado de bonecões infláveis de Dilma e Lula.

Estava criado o sentimento coletivo que daria velocidade ao impeachment.

AS VOTAÇÕES

O impedimento se deu em duas fases: na Câmara e no Senado.

No Congresso, o relatório das comissões foi favorável ao impedimento da presidente Dilma nas duas casas. Em 11 de abril, 38 deputados aprovaram o relatório do deputado Jovair Arantes (PTB-GO), cinco a mais que o necessário. 27 se manifestaram contrários.

Era o início oficial da derrocada de Dilma e do PT.

Em 17 de abril, o plenário da Câmara dos Deputados aprovou o relatório com 367 votos favoráveis e 137 contrários. A democracia era fortalecida naquele domingo, e em rede nacional!

Ficou claro que a presidente deixou uma organização criminosa dominar as instâncias públicas e ainda tentou proteger seus integrantes.

Os votos representaram o povo brasileiro. Enfim o Congresso se dobrava à vontade da nação e não aos caprichos e conchavos de um governo corrupto.

A vez de Eduardo Cunha chegaria em breve. Mas antes, vamos ao Senado.

A Comissão do Impeachment trabalhou rapidamente. Os olhos do mundo estavam voltados para a Casa de Leis, que representa os Estados brasileiros.

Em 5 de maio, o relatório do senador Antonio Anastasia (PSDB-MG) que recomendava o afastamento temporário da presidente foi aprovado por quinze votos a cinco. O clima foi de festa no Brasil. Faltava pouco para nós virarmos a página. Não se falava em outra coisa. E um dia depois, o STF interfere nas prerrogativas do Legislativo.

Em 6 de maio, o ministro Teori Zavascki, juiz da Lava Jato no STF, assinou uma liminar de 74 páginas determinando o afastamento de Eduardo Cunha do mandato de deputado e, logo, da presidência da Câmara. No mesmo dia, o plenário do Supremo se reuniu e confirmou a decisão de Teori. Os juristas se dividiram, afinal, a cassação de mandato de parlamentar deve ser feita pelo Legislativo. Ao STF caberia julgar as denúncias contra Cunha. É o que manda a Constituição. Mas a maior corte do país atropelou o processo e atendeu uma demanda de parte da sociedade, arranhando preceitos constitucionais. Cunha já não poderia ter sido julgado, se condenado preso e fazendo delação premiada? E se tivesse sido condenado, certamente a Câmara já teria cassado o mandato do parlamentar há muito tempo. Por que tudo aconteceu um dia depois da aprovação do relatório? Apenas coincidência? O tempo dirá.

O Senado seguiu com o processo. Dilma foi afastada em 12 de maio por cometer crimes de responsabilidade. Os senadores assumiram o papel de juiz e decretaram o prosseguimento do processo. Pela Lei do Impeachment, o afastamento pode durar até 180 dias. A nação comemorava. Havia manifestações públicas em todos os cantos do país. O povo sentia a liberdade voltando, a democracia florescendo novamente. O impeachment não teria seguido com essa força sem a publicidade dos áudios feita por Sérgio Moro. Ele, fazendo justiça sem temor, ajudou de forma única o país.

Agora, a etapa final do processo, presidida por Ricardo Lewandowski, presidente do STF. O Senado é transformado em um grande tribunal que julgará a ré. Ele não vota, apenas preside a sessão. Os juízes são os senadores. Assim manda a Constituição Brasileira.

A farsa petista foi escancarada. Os anos de triunfo de um projeto de poder que implodiu a economia brasileira chegavam ao fim. O trabalho de Moro foi decisivo para mudar a nossa história. Ao PT e aliados sobrou apenas seguir com a tese do *golpe*, de que havia uma conspiração ditatorial para levar a eleição no tapetão, como afirmou tantas vezes a primeira mulher a chegar à presidência – e também a que mais envergonhou o país. A vitimização é estratégia básica para tentar sair por cima de toda essa história.

O GOVERNO TEMER

O advogado constitucionalista paulista Michel Miguel Elias Temer Lulia assumiu como presidente interino no dia 13 de maio, uma sexta-feira, logo depois da remoção de Dilma Rousseff do cargo. Com português afiado e tom de voz sereno, Temer entrou na linha de frente do governo incumbido de um forte compromisso com a economia, diante do déficit de R$ 170,5 bilhões só em 2016 deixado pela antecessora.

Dilma disse que as contas públicas tinham um rombo de "apenas" R$ 90 bilhões. Ela mentiu descaradamente diante do povo brasileiro e Temer teve que tomar providências firmes para assumir a função de uma presidente problemática, confusa e completamente rompida com o Congresso.

Católico, formado pela USP e casado com a bela Marcela, Michel Temer nasceu na cidade interiorana de Tietê e tem 75 anos. Veterano na política, ele foi presidente da Câmara dos Deputados, deputado federal, secretário da Segurança Pública logo após o Massacre do Carandiru e Procurador-Geral do Estado de São Paulo.

Encarnando o espírito republicano do PMDB, foi próximo de políticos como o governador Fleury, Mário Covas e até o próprio Lula. Nesse momento político, Michel Temer recebeu um voto de confiança da população. A maioria sabia que nada seria pior do que o PT no comando do país. Mesmo com dúvidas sobre a atuação do peemedebista, o Brasil teve esperança. Temer começou bem. A presidência não poderia ter alguém menos capacitado do que Michel Temer em sua cadeira.

O presidente interino nomeou Fábio Medina para a Advocacia-Geral da União; Blairo Maggi (PP) para a Agricultura; Ilan Goldfajn para o Banco Central; Eliseu Padilha (PMDB) para a Casa Civil; Bruno Araújo (PSDB) para o Ministério das Cidades; Gilberto Kassab (PSD) para a Ciência, Tecnologia e Comunicações (fusão); Fabiano Augusto Martins Silveira para a pasta de Fiscalização, Transparência e Controle (nova); Mendonça Filho (DEM) para a Educação e Cultura (fusão de pastas); Raul Jungmann (PPS) na Defesa; Osmar Terra (PMDB) para o Desenvolvimento

Social e Agrário (fusão); Marcos Pereira (PRB) para o Desenvolvimento, Indústria e Comércio; Leonardo Picciani (PMDB) para os Esportes; Helder Barbalho (PMDB) para a Integração Nacional; Alexandre de Moraes (PSDB) para a Justiça e Cidadania (fusão de pastas); Sarney Filho (PV) para o Meio Ambiente; Fernando Bezerra Filho (PSB) para Minas e Energia; José Serra (PSDB) para Relações Exteriores; Ricardo Barros (PP) para a Saúde; Geddel Vieira Lima (PMDB) para a Secretaria de Governo; Sérgio Etchegoyen para a Secretaria de Segurança Institucional (nova pasta); Rogério Nogueira (PTB) para o Ministério do Trabalho; Maurício Quintella (PR) Transportes; Henrique Eduardo Alves (PMDB) para Turismo e Romero Jucá (PMDB) para o Planejamento.

Bem, Jucá merece uma atenção a mais. Ele foi ministro relâmpago do governo Temer. Assumiu uma das pastas mais importantes e, doze dias depois, foi exonerado. Jucá, "o Breve", foi pego com a boca na botija por Sérgio Machado, que já comandou a Transpetro, subsidiária da Petrobras. Machado gravou conversas em que Jucá propunha um pacto para deter a Lava Jato. A *Folha de S. Paulo* publicou a notícia e, posteriormente, todos os outros veículos a seguiram. Jucá foi mau caráter e tolo. Ninguém segura a operação que está faxinando a política brasileira. Romero Jucá, previsivelmente, caiu. Voltou para o Senado e enfrentará um processo de cassação de seu mandato. Que sirva de lição. O povo está do lado da Lava Jato. O povo está do lado de Moro.

A seleção de nomes de Temer evidentemente considerou o caráter técnico de seu governo e nada tem a ver com as acusações infundadas de petistas de que estes seriam políticos investigados na Lava Jato. Se forem, os crimes precisam ser comprovados antes de um pré-julgamento tão precipitado quanto o tal "golpe".

Temer fundiu sete ministérios e criou dois. O Ministério da Cultura foi pensado como secretaria e depois retornou ao mesmo estado anterior, com Marcelo Calero na pasta. Mas o grande acerto foi no Ministério da Fazenda, que controla a economia.

Esse cargo foi dado a Henrique Meirelles, executivo de carreira em instituições reconhecidas como o BankBoston e o presidente do Banco Central responsável pela revolução do primeiro governo Lula.

O que foi bom das gestões petistas, Michel Temer trouxe ao seu governo. E tudo indica que sua presidência será um facho de luz após a tempestade que foi Dilma Rousseff.

A TESE MENTIROSA DO GOLPE

Recorrendo a ideologias de esquerda, muito populares na própria academia, algumas antros de professores manipuladores, o PT popularizou uma tese chamada de *golpe de Estado*. Já disse isso, mas não custa repetir. Não há golpe dentro da Constituição. O impeachment é a maior expressão da democracia. É a forma de o povo demitir um governante irresponsável. O afastamento de Dilma Rousseff é legal, constitucional, moral e necessário. Ela foi punida pelos crimes que cometeu. É a segunda na linha sucessória dos impichados. Collor foi o primeiro a ser apeado do poder.

Mas vamos ver até onde essa viagem do PT vai.

Eles afirmam que o golpe é orquestrado pela *plutocracia*. Aquela conversa de sempre do PT de que houve rompimento da ordem pública e ocorre porque os "ricos querem prejudicar os pobres beneficiados pelo Bolsa Família". Uma besteira sem fim.

E "eles querem vender o pré-sal para o capital norte-americano. O José Serra é representante da Chevron contra a Petrobras". E mais blá-blá-blá.

Nem se os tucanos quisessem e se esforçassem muito eles destruiriam a nossa estatal como os petistas fizeram. O PT é realmente bom nesse tipo de saque.

O Partido dos Trabalhadores não ficou apenas no discurso. Dilma viajou até a ONU e falou com a imprensa internacional, defendendo a tese do golpe. Lula e os demais políticos argumentaram ideologicamente na mesma linha.

Um grande jornalista chamado Glenn Greenwald, atualmente editor do site The Intercept, se prestou a um serviço risível ao entrevistar o ex-presidente Lula e defender na CNN a teoria furada do golpe. Greenwald ganhou um Prêmio Pulitzer, o maior da imprensa americana, por denunciar a espionagem da NSA no mundo, incluindo sobre Dilma Rousseff. No momento, entretanto, ele agiu como o típico jornalista que se faz de inocente útil para atender aos desejos dos petistas.

Le Monde e *The New York Times* também venderam a tese petista. Entretanto, outras publicações respeitadas como *Washington Post* e a revista *The Economist* ressaltaram algo que é muito simples de entender: não se trata coisa nenhuma de um golpe de Estado. É um simples impeachment de uma presidente envolvida em crimes que lesam a coisa pública no Brasil.

Por trás do impeachment e da Lava Jato existe muito do ser humano, da vontade de ver um Brasil melhor, de acreditar de novo que, mesmo com tanta gente errada no lugar errado, podemos pressionar para que nossos representantes façam a coisa certa.

Atrás da toga de juiz existe um homem chamado Sérgio Moro que merece ser conhecido.

7.

O QUE DIZEM SOBRE ELE? A MÃE E A ESPOSA DE MORO

Qual a fama do juiz em Maringá? Quem é Odete Moro? Quem é o ser humano chamado Sérgio Fernando Moro?

Nosso juiz do Paraná não é apenas um aluno aplicado e um estudioso de Direito. Moro também não é apenas o homem que desvendou um incrível caso de corrupção. Há um ser humano admirável em nosso juiz.

Você consegue perceber isso ao visitar Maringá e a capital do Paraná, cidades que viveram plenamente a febre da República de Curitiba. Locais que torceram pelo sucesso de Sérgio Moro.

SUPER-HERÓIS DOS QUADRINHOS E O NOSSO JUIZ

"Joice, eu até me emociono falando sobre ele. A família mora perto de uma banca de jornal. Sabe do que ele gosta? De gibi. De histórias em quadrinhos. Ele sempre gostou de super-heróis. Ele é um homem simples que sempre vai aos mesmos lugares", revelou uma amiga que frequenta até hoje a casa de seus pais, Odete e o falecido senhor Dalton.

Moro admirava heróis da DC e da Marvel. Gostava de ler e de imaginar. As histórias dos heróis em quadrinhos eram o passatempo dele entre os intermináveis livros de Direito. Toda a semana lá estava ele na banca levando os novos exemplares.

Mal sabia ele que se tornaria um herói para a população.

"Ele é um homem de coração gigante. Diante das garotas na escola, ele era visto como um homem bonito, mas não dava brechas para as meninas darem em cima."

Outra colega de faculdade diz que ele tem o temperamento fechado porque é muito parecido com a mãe. "O Sérgio é a mãe", diz. O pai, Dalton, de educação rigorosa, é espelhado em outros detalhes da vida do juiz. A essência dele é materna.

A MÃE

Odete Moro é uma mulher de temperamento sereno. Reconhecida como excelente professora, a mãe do nosso juiz é muito educada, sempre gentil com todos, e deixa claro que valoriza caráter e retidão. E é justamente ela quem alerta os jornalistas para o fato de que ele prefere ser discreto e pouco chamativo com a imprensa.

Odete, cheia de humildade, gosta de dizer: "Ele não é herói. É um brasileiro que está fazendo justiça para todos". A matriarca da família repete que Sérgio Moro nunca diferenciou uma pessoa da outra. Desde pequeno não fazia acepção de pessoas e sempre aplicava na prática a máxima da Justiça: todos são iguais perante a lei.

"Não importa se é pobre ou rica. A pessoa precisa ser honesta. Ter integridade e amor ao Brasil", diz dona Odete.

A mulher simples e discreta vê nosso grande juiz como o filho amoroso e dedicado que ele sempre foi e continua sendo. Ela é firme ao dizer: "Eu não criei um juiz, eu criei um homem íntegro, honesto e trabalhador".

A mãe deixa claro que sente muito orgulho do filho e que fica satisfeita por ele fazer a diferença. "Espero que ele realmente colabore para o desenvolvimento do país e acabe com essa corrupção." A esperança dessa mulher de fé é a mesma de todo um país: que Moro acabe com a corrupção.

Toda repercussão da Lava Jato, as consequências da operação e a exposição do filho preocupam a mãe. Ela, mulher religiosa, não deixa de lado as orações, pedindo proteção divina ao filho. Toda semana dona Odete está na igreja e às quartas-feiras ela se reúne com um grupo de mulheres para servir café da manhã para pacientes de um centro hospitalar que recebe doentes de várias cidades, muitos sem dinheiro sequer para comer. Dona Odete tenta trazer um pouco de conforto a essas pessoas. O coração doce da mãe está presente também no filho.

Em Maringá, os mais íntimos de Moro dizem que ele é uma dessas boas almas que aparecem no mundo para fazer a diferença. Ele tem feito.

A família fala pouco sobre a intimidade deles. Moro, quase nunca. Ele se expressa pelo trabalho. A orientação é da mãe. Quanto menos exposição, melhor. O irmão César segue à risca a lição. Gosta do reconhecimento do irmão, mas não o expõe. Prefere o anonimato.

Mesmo com tantas responsabilidades, Moro é um filho, pai e marido presente. Cuidadoso, ele sempre consegue um tempo para se dedicar à família. Os almoços de domingo são os preferidos. Sua família tem origem humilde, de classe média, à moda do interior do Paraná, e gosta de manter pequenas tradições. Os mesmos mercados. A mesma padaria e até a mesma banca de revistas, bem em frente aos Correios.

O menino simples, do interior, dedicado e centrado não gosta da visão que muitos têm dele. Ele rejeita a imagem de celebridade. Como Moro é rosto presente na mídia, parte da população criou essa ilusão. Nosso juiz não gosta desse rótulo. Prefere passar despercebido. Falar apenas pelo trabalho.

ROSÂNGELA MORO, UMA GRANDE MULHER

Fora das câmeras, Moro busca a tranquilidade e a paisagem de Maringá para descansar. Ele vive uma vida feliz com a esposa Rosângela, que sustenta uma página no Facebook chamada *Eu Moro com ele*. Ela foi aluna de Moro na Faculdade de Direito de Curitiba nos últimos meses do curso, em 1996. Um ano depois, os dois se encontraram em uma festa. O interesse surgiu e hoje os dois estão casados e têm dois filhos.

Rosângela também tem um trabalho grande com filantropia. Ela é procuradora jurídica da Federação Nacional das Apaes. Fez trabalhos na Pastoral da Criança de Dom Evaristo Arns. A esposa do nosso juiz é uma grande mulher. Bela, doce, amiga, companheira e guerreira. Rosângela compreende a importância do trabalho de Moro e muitas vezes abre mão do tempo que teriam em família para deixar o juiz se dedicar ao Brasil. Essa foi uma das mudanças na rotina deles. O tempo ficou mais enxuto e o assédio aumentou. E muito.

A tranquilidade de Moro se reflete na vida familiar. Sendo o mesmo de sempre em casa, ele torna tudo mais fácil. A grande novidade foi esse fenômeno de reconhecimento. O assédio realmente passou a ser rotina inesperada, mas Moro e Rosângela recebem com carinho as manifestações respeitosas de reconhecimento e admiração.

Apesar da segurança, hoje reforçada, o casal tenta manter uma vida normal, como a da maioria das famílias, com aquela coisa de levar e buscar os filhos na escola, nas festinhas, ir ao supermercado, ir à padaria, passear com o cachorro. No entanto, hoje essas atividades não são tão simples.

Às vezes, quando saem juntos, as pessoas perguntam para Rosângela: "ele é mesmo o Sérgio Moro?". Ela escuta com frequência essa frase e acha até engraçado. "Sim, é ele!", responde, sempre sorrindo. Mesmo rejeitando o título de herói, o país o vê assim. Já não tem mais jeito.

Rosângela criou a página no Facebook justamente para agradecer a todas as manifestações recebidas, através de cartas, e-mails, camisetas, lembranças, livros, bilhetes que chegam diariamente. Ela se sentiu na obrigação de achar uma maneira de dizer "obrigada, somos gratos". Pela rede social, expressa gratidão às pessoas que doaram um pouco de tempo para se pronunciar. Rosângela se surpreendeu com a quantidade de pessoas que rapidamente chegaram à página. Ali, pela internet, eles sentem o quanto o brasileiro é solidário, cheio de fé e esperança. Uma corrente de oração é mantida para blindar a todos que dela fazem parte.

Família e amigos são unânimes em destacar o senso de justiça de Moro e, acima de tudo, o equilíbrio que ele possui. Entre suas qualidades, encontra-se um homem justo, equilibrado, excelente pai e um admirável companheiro. Esse é Moro na vida pessoal. Todos sabem que ele faria tudo de novo, mesmo sofrendo as pressões, mesmo correndo os riscos. As convicções dele não mudam por causa de opiniões ou manifestações externas, independentemente de serem elogiosas ou críticas. Ponderação é a palavra.

Rosângela e Moro são parceiros. Dedicam-se um pela felicidade do outro. Ela o admira profundamente. Ele olha para ela apaixonado. Moro se tornou uma fonte de inspiração para o Brasil, mas especialmente dentro de casa. O apoio é mútuo. Rosângela aceitou as opções do marido e está do lado dele incondicionalmente. Ela vibra com as vitórias e ainda se surpreende. Que Moro seria um magistrado dedicado, estudioso e comprometido, isso ela já sabia, porém, não imaginava que o trabalho dele tivesse uma repercussão nessas proporções.

O reconhecimento veio dentro e fora de casa. No Brasil e no mundo. E junto a isso, vieram as ofensas pessoais. As agressões infundadas incomodam, é claro, mas não podem mudar o rumo das coisas. As críticas ao trabalho são absorvidas, até porque não há como ser imune a elas, em nenhuma situação da vida. Moro e Rosângela optam pela serenidade. Eles aprenderam a conviver com as críticas e elogios sem que isso tire a sua tranquilidade de casal ou intefira na sua vida pessoal.

Aos mais próximos, Rosângela diz que quer ver um país melhor, para a nossa e para as futuras gerações. Ela se entristece com a debandada de brasileiros que precisam buscar oportunidade em outros países por não terem perspectivas aqui. O desejo de ter uma política mais decente, sem roubalheira e com a boa aplicação do dinheiro público a faz admirar ainda mais o trabalho do marido. Essa admiração é compartilhada por aqueles que convivem profissionalmente com o juiz.

Rosângela tem orgulho do reconhecimento do marido. Estudioso voraz, ele conduz os processos da Lava Jato com a mesma determinação que conduziu os outros processos ao longo de sua carreira de magistrado.

A gratidão está sempre presente entre os sentimentos de Moro. O reconhecimento, para ele, deve ser ao trabalho institucional. Moro não pessoaliza. Ele sempre destaca que nada poderia ser feito sem o envolvimento de várias instituições, como o Ministério Público Federal, a Polícia Federal e as demais instâncias da Justiça.

Um homem que sempre gostou dos heróis dos quadrinhos, que todo o sábado comprava pilhas de gibis, é uma pessoa simples, de costumes conhecidos e de hábitos repetitivos.

Sérgio Moro teve cabeça para encarar as pressões que tomaram conta de sua vida em diferentes momentos. O juiz federal se transformou numa inspiração válida. De Maringá a Nova York, Moro virou um fenômeno a ser estudado nos próximos anos.

Suas atitudes já se espelham no povo.

8.

O ROSTO PRESENTE NAS MANIFESTAÇÕES

Como Moro se transformou num símbolo? Como se formaram os movimentos de rua contra a corrupção? Como surgiu a esperança no rosto das pessoas graças ao trabalho de um mero juiz?

As manifestações contra o aumento das passagens de transporte público ganharam força em janeiro de 2013, em Porto Alegre, graças ao Movimento Passe Livre (MPL). No entanto, protestos no Rio de Janeiro entre 2011 e 2012 davam sinais de que uma revolta popular estava prestes a começar nas ruas. E ela não ficaria restrita às passagens e a seus preços.

A PM de São Paulo, de maneira justa, começou a reprimir baderneiros mascarados que quebravam o que viam pela frente, dando preferência às vidraças de bancos. Os bandidinhos se valiam do anonimato. Eram os chamados *black blocs*. Isso chamou a atenção de uma imprensa que gosta de dar voz a esse tipo de gente. E a polícia estava tensa na rua.

De todas as cidades, São Paulo foi a primeira a pegar fogo.

Em 13 de junho de 2013, a repórter Daiana Garbin, da Globo News, foi agredida verbalmente por manifestantes, que atiraram sacos de lixo nela. "O que eu vi e vivi hoje no protesto na Paulista é guerra. Não é um protesto para reduzir o preço da passagem", disse a jornalista em seu Twitter.

O repórter Piero Locatelli, da *CartaCapital*, foi detido por portar vinagre, atitude que confirmou o despreparo da polícia durante aqueles protestos de rua. Da mesma forma, Fernando Borges, fotógrafo do Portal Terra, também foi preso. Eles foram liberados no mesmo dia por falta de provas ou mesmo de crimes.

Vários relatos desencontrados mostraram mais agressões a jornalistas. No Rio de Janeiro, o repórter Vandrey Pereira, da Globo, teve de ser escoltado por seguranças da emissora após quase ser atingido por pedras e sacos de lixo. Outros três casos ganharam destaque nacional.

Disparados pela tropa de choque, os tiros de bala de borracha acertaram os rostos de Giuliana Vallone e Fábio Braga, da TV Folha. Giuliana foi ferida na região do olho, mas não perdeu a visão graças aos seus óculos. A agressão se tornou capa da *Folha de S.Paulo*.

A mesma sorte não teve o fotógrafo Sérgio Silva. Ferido da mesma forma que Giuliana, ele perdeu permanentemente a visão do olho esquerdo. A reação da PM chamou as pessoas às ruas e uma grande mobilização se formou. Entre 17 e 21 de junho, mais de 100 mil pessoas tomaram as ruas do Rio de Janeiro, enquanto São Paulo foi tomada desde o Largo da Batata até a ponte estaiada, na Marginal Pinheiros.

Os protestos que começaram a tomar as ruas a partir dali baniram as bandeiras de partidos políticos de esquerda, como o PSTU, o PSOL e o PT. Os mascarados também diminuíram a presença. Eram pessoas de bem pedindo pelo fim da corrupção que aumentara o preço de tudo, inclusive das passagens de ônibus e metrô. Uma multidão pacífica, porém poderosa, proclamava seu grito de guerra: "o gigante acordou!".

E desde aqueles dias, quando o brasileiro descobriu na rua uma arma eficaz contra desmandos políticos, ele não dormiu mais. Ulysses Guimarães já profetizava: "A única coisa que mete medo em político é o povo na rua".

JOAQUIM BARBOSA ABRIU ESPAÇO PARA MORO NA RUA

No Carnaval de 2014, o rosto do ministro negro do STF tomou as festas e os protestos. Joaquim Barbosa era o herói das ruas e o vencedor do Mensalão após colocar José Dirceu, José Genoino e parte da quadrilha atrás das grades. Ele passou a dar um rosto aos protestos.

Enquanto isso, dentro da imprensa, os veículos de esquerda suspeitos de sempre, como DCM, *CartaCapital*, entre outros, tentavam jogar a carreira de Barbosa no lixo. Questionaram a tese do *domínio do fato* que colocou Dirceu na cadeia. Eles não conseguiram proteger os petistas, então a estratégia era jogar a credibilidade da Justiça no fundo do poço.

Tentaram até trazer um episódio de uma suposta agressão de Joaquim Barbosa contra sua ex-esposa em 1985 para a imprensa. Foi um caso que nunca foi comprovado. Tudo, absolutamente tudo, era motivo para pôr a carreira do juiz em xeque.

Mas ele não se curvou a isso. Sofrendo dores horríveis nas costas, Joaquim Barbosa trabalhou até o período que seus esforços foram possíveis. E ele foi recompensado pelas ruas utilizando a capa negra do *Batman da Justiça*.

Em 29 de maio de 2014, Barbosa conversou pessoalmente com a presidente da República, Dilma Rousseff. Conversou com mais duas pessoas: o presidente do Senado Federal, Renan Calheiros, e o presidente da Câmara dos Deputados, Henrique Eduardo Alves, antecessor de Eduardo Cunha. Falou com todos eles sobre a sua decisão acerca da aposentadoria para junho daquele mesmo ano.

Joaquim Barbosa poderia permanecer no tribunal até atingir a aposentadoria compulsória em outubro de 2024. Mas resolveu sair de cena antes para seguir carreira como advogado depois de sua trajetória como promotor e ministro. Ele não abusou de sua autoridade e nem de seu cargo público. O juiz do Supremo decidiu por uma mudança de rumo depois de um caso que mudou sua carreira.

A aposentadoria de Barbosa foi adiada e publicada em 30 de julho de 2014. A presidência do tribunal foi então assumida pelo ministro Ricardo Lewandowski, um jurista conhecidamente pró-PT e formado no ABC Paulista, terra de Lula.

Naquela ocasião, nós perdemos. Mas uma juventude começava a surgir entre julho e dezembro daquele ano. Há dois anos surgia um movimento jovem que daria gás ao juiz Moro.

A ASCENSÃO DE MORO

Através do Movimento Contra a Corrupção (MCC), que começou a crescer nas eleições municipais de São Paulo, em 2012, aos poucos foi brotando a semente do Movimento Brasil Livre (MBL). Kim Kataguiri, Frederico Rauh, Alexandre Santos, Gabriel Calamari e Renan Santos, todos entre 18 e 30 anos, foram os fundadores dessa corrente. A partir de 12 de dezembro de 2014, eles foram até as ruas e foram reconhecidos. O grupo investiu pesado no YouTube a fim de ganhar fama dentro e fora da internet. O uso de caminhões de som e os discursos inflamados dos líderes deram frutos. Em outubro de 2015, o líder do MBL, Kim Kataguiri, foi eleito um dos trinta jovens mais influentes do mundo pela revista norte-americana *Time*.

No entanto, o Movimento Brasil Livre não foi o único. O Vem Pra Rua surgiu aproximadamente na mesma época, com uma identificação verde e amarela mais forte e mantendo diálogo com políticos da oposição, principalmente Aécio Neves e figuras do PSDB. Dominando no setor de vídeos, desde 2010, o Revoltados On-Line levou a personalidade forte das gravações, sobretudo em seu líder Marcello Reis e a incansável Bia Kicis, para o mundo real. O Nas Ruas, de Carla Zambelli, também contribuiu – e muito – para o andamento do impeachment. Ela e um grupo de pessoas ficaram algemados dentro do Congresso Nacional em 2015 para pressionar a abertura do processo contra Dilma Rousseff e a favor do Brasil.

Esses grupos e muitos outros antigoverno saíram às ruas com o rosto de Sérgio Fernando Moro. O juiz que *fala pelos autos* passou a representar os interesses populares. No Carnaval de 2015, era a imagem de Moro que dominava as fantasias, enquanto o boneco inflável do juiz federal super-herói ganhava espaço após a popularidade do modelo do ex-presidente Lula.

Este é o homem que está mudando o Brasil.
Je suis Moro!
Moro, o juiz que está caçando os corruptos!
I ♥ Moro.
In Moro we trust.

Esses foram alguns dos dizeres e dos gritos de guerra das ruas.

Sérgio Fernando Moro está em cartazes, na boca do povo que fala no megafone, além dos posts frenéticos no Facebook. Moro se transformou num espelho e num modelo que a nossa sociedade quer ser.

Em comparação a Joaquim Barbosa, o nosso juiz discreto acabou sendo ainda mais bem aceito pela população. O mistério que envolve a sua história se transformou no segredo do seu sucesso.

A humildade e os valores de Sérgio Moro são responsáveis por transbordar simpatia dessa população que precisa de representantes, de gente que não tem outros interesses além de fazer o melhor para o país, de heróis de verdade, mesmo que nosso juiz não goste do rótulo. O filho do senhor Dalton e da dona Odete não quer se envolver em política, não tem bandeira partidária, não gosta de holofotes e tem como conselheira a justiça, apenas. Por tudo isso é que a população enxergou nele uma alternativa para voltar a acreditar no país. O olhar fixo de Moro em fotografias exemplifica um homem com uma conduta exemplar. O juiz da Lava Jato é um modelo a ser seguido.

A fama de Moro se transformou em minibonecos infláveis, pôsteres, gritos de ordem e uma variedade de acessórios e atitudes. Ele estava em todos os protestos, em todos os cantos do país. O rosto do juiz passou a se tornar o rosto dos protestos.

"Neste homem eu confio! Boto fé no juiz Sérgio Moro e nos delegados da Polícia Federal. Eles estão de fato revolucionando o país", disse-me Joana Andrade, funcionária do Banco do Brasil, durante o protesto pelo impeachment de Dilma em 13 de março de 2016. O trabalho de Sérgio Moro, sem dúvida, expôs as vísceras da corrupção, alimentou a indignação de um povo e deu força à população para pressionar o Congresso a tomar certas atitudes. O desmonte do esquema destravou o processo de impedimento da presidente. Os argumentos são as pedaladas fiscais e os decretos, que configuraram crime de responsabilidade. Mas Moro mostrou que havia muito mais por debaixo do pano.

Os protestos com o rosto do juiz não ocorreriam apenas com simpatizantes. A própria família iria para a rua.

Em 18 de março do mesmo ano, Leandro Anesio Moro apareceu vendendo bebidas na frente do MASP, na avenida Paulista. Ele tem 39 anos e afirma que é primo de terceiro grau do juiz de primeira instância em Curitiba da Operação Lava Jato. Nascido em São Paulo, ele tem um sotaque do Paraná bem forte. "O pai dele é irmão do meu avô, que se chama Anesio Moro, entendeu?"

O parente do nosso juiz Sérgio Moro estava comercializando água mineral e refrigerante para os manifestantes. "No entanto, o campeão de vendas aqui é a Heineken, graças a Deus. A cerveja dos protestos contra a Dilma é essa", disse, com um sorriso nos olhos. Ele estava acompanhado da sua esposa e um filho.

Leandro Moro mostrou o RG para provar o parentesco e disse que trabalha em um estabelecimento chamado Rocco Lanches, na região de Pirituba, que fica perto da Freguesia do Ó. Sobre o vazamento dos áudios para grandes veículos de mídia, incluindo o de Lula e o de Dilma, perguntei se ele não via nada de errado na situação.

"Foi um grande feito, um grande acontecimento e é o combate contra toda essa roubalheira que está aí, entendeu?"

Sobre os protestos, Leandro Moro foi mais categórico: "Finalmente apareceu um juiz que botou as caras pra combater esses vagabundos e meter pau neles. Ele é um cara muito honesto e é muita safadeza dessa gente, muita safadeza".

Aproveitei e perguntei se ele temia retaliações do governo ou do PT por ser primo de Sérgio Moro.

"Não tenho medo, não. Tem que prender o Lula, tem que prender a Dilma, entendeu? Educação tá uma merda. Hospital tá uma merda. Saúde toda tá uma merda. Transporte tá uma porcaria, entendeu? A gente precisa de um novo presidente como ele, o Moro. E esse país é lindo, é maravilhoso. Infelizmente a nossa presidenta só pensa em roubar", disse o primo do juiz.

A nova face de um novo Brasil.

"O apoio da opinião pública é essencial nesse momento", escreveu César Moro, o irmão mais velho do juiz, em sua conta do Facebook, em 24 de março. Ele estava fazendo uma campanha pelo site www.change.org contra o desmembramento da Operação Lava Jato.

Essa hipótese foi levantada por juízes que não enxergaram sentido em manter, num único processo, réus com foro privilegiado que poderiam ser julgados no STF. César pensou da maneira certa: desmembramento significa a possibilidade de absolver boa parte dos corruptos. E isso tiraria o poder de primeira instância das mãos de Moro.

O irmão atleta também fez campanha pelo impeachment de Dilma e convocou a população em 13 de março. A mãe dos meninos Moro, embora não goste muito de internet, também apoiou os dois filhos. Sérgio tem apoio de uma família que sabe o legado que ele deixa ao Brasil.

É necessário, então, entender o que era o país antes e depois da Lava Jato.

Hora de fazer um balanço sobre o que mudou.

9.

O BRASIL ANTES E DEPOIS DE MORO

Nosso país mudou com a atuação do juiz do Paraná? O que era o Brasil do passado? O que nos tornaremos? Entenda o papel de Sérgio Moro com a Lava Jato na mudança nacional.

Antes das megaoperações de corrupção que tiveram participação direta e indireta de Sérgio Moro, o Brasil era um país incrivelmente arcaico do ponto de vista jurídico e leniente com o assalto aos cofres públicos. Ora, o Mensalão foi considerado um caso de julgamento extremamente rápido à época. A justiça sempre tardava. Para entender a mudança que o juiz provocou em nosso país, vamos aos fatos, o antes e o depois.

Entenda como a população brasileira era antes da Operação Lava Jato e a descoberta do maior esquema de propinas envolvendo políticos, doleiros e operadores: o Petrolão.

O CRIME DOS DOLEIROS

Antes da Lava Jato, iniciada em 2014, o trabalho dos doleiros não era destaque expressivo das notícias políticas. O crime deles, no entanto, é registrado desde a época do escândalo do Banestado, entre 1996 e 2003. A troca de moedas no mercado cinza se multiplicava graças à prática desses profissionais ilegais.

Alberto Youssef entrou para a história do crime na crise do banco que foi vendido ao Itaú e fez a delação premiada num caso gerido por Sérgio Moro. Ao ser preso no escândalo do Petrolão, Youssef voltou a denunciar executivos da empresa estatal, políticos, publicitários e marqueteiros vinculados ao esquema e ao governo federal.

A mudança no Brasil, nesse aspecto, causou a diminuição do delito de evasão de divisas, ou seja, mandar dinheiro para fora do Brasil sem a intermediação de um estabelecimento bancário. Era a perda de moeda nacional (real) para uma unidade monetária do exterior.

Resumidamente: dólar vendido barato de maneira ilegal.

Ao confessar crimes e favorecimentos ilícitos de empresários, os doleiros também confessaram focos de lavagem de dinheiro. O braço financeiro e a ligação entre diferentes escândalos ficaram aparentes.

Denunciados, e também denunciando as práticas ilegais de outros criminosos, esses profissionais do crime deixaram à mostra como estamos perdendo dinheiro público e como as empresas nacionais são absurdamente mal geridas.

Sérgio Moro, fazendo as perguntas certas para Youssef e para outros doleiros da Lava Jato – a saber: Carlos Habib Chater, Nelma Mitsue Penasso Kodama e Raul Henrique

Srour –, formou um material para que o Executivo deixasse de recorrer às práticas espúrias para ter reduções de custos. Corromper-se para deixar de pagar o Banco Central do Brasil constitui crime financeiro e os funcionários de estatais nacionais, considerando a robustez dos indícios, parecem não ter consciência das consequências dos seus atos. Tampouco os políticos envolvidos nas denúncias.

Incluindo aqueles que atuaram como operadores para outros no recebimento de propinas e também os homens que tomaram dinheiro público. Uma herança da Lava Jato de Moro é justamente denunciar esses doleiros e os esquemas de troca de dinheiro que viabilizaram a corrupção que constatamos no seio do governo Dilma Rousseff.

A TRANSPARÊNCIA COM A IMPRENSA

No caso da mídia brasileira, o Banestado e a Lava Jato parecem escândalos opostos. O caso do Banco do Estado do Paraná não foi tão esclarecido na imprensa, mas foi assunto predominante em veículos, como a *Gazeta Mercantil* ou o próprio jornal *Folha de S.Paulo*.

A Operação Lava Jato, dada a sua complexidade financeira e lidando com as mesmas delações premiadas, ganhou um espaço bem maior. Rádios, TVs e as mídias digitais deram muita exposição ao caso. Não faltou espaço na comunicação nacional para o maior escândalo de corrupção da História.

A grande responsável por essa mudança que afetou o Brasil todo foi justamente a turma do juiz Sérgio Fernando

Moro. Disposto a promover a "justa publicidade dos autos", o magistrado estabeleceu, através dos integrantes da Lava Jato, um contato intenso com a imprensa.

A situação econômica do Brasil começava a piorar em 2012. Ao invés de fazer as reformas necessárias na educação, na infraestrutura e na saúde, a presidente Dilma Rousseff resolveu fazer desonerações fiscais nos setores de linha branca e automóveis.

O PT, durante todos esses anos enraizado no poder, surfou na mesma onda das *commodities* da China, aproveitou-se de um bom momento e conseguiu dar a sensação de que tudo ia muito bem, que a economia crescia e aparecia. Mas o partido de Dilma e Lula criava um rombo gigantesco aos cofres públicos. O governo petista não fez aportes fundamentais para a estabilidade econômica. Pelo contrário, fez lambanças sem fim. Retirou impostos, ajudou quem devia e, principalmente, quem não devia, reduziu a própria arrecadação, extrapolou os gastos públicos e, em paralelo, a corrupção corria solta. O governo foi colocando a corda no próprio pescoço e também no pescoço da nação.

Quando Alberto Youssef e Paulo Roberto Costa detonaram a bomba das propinas da Petrobras, o governo Dilma foi atingido em cheio. O escândalo se arrastou para João Vaccari Neto e José Dirceu, e o partido e a presidente foram colocados na mira do impeachment. O propinoduto foi escancarado e a sujeira arrastava o PT para o lamaçal que o próprio partido criara. Aliados como PP e PMDB também entraram na linha de fogo da Justiça. O impedimento de Dilma começava a se tornar uma realidade.

Nada disso seria possível sem a plena divulgação da imprensa. O governo fazia todo tipo de pressão para "amansar os veículos de comunicação". Telefonemas para as chefias de redações, cortes de publicidade estatal, ameaças, processos e até demissões escolhidas a dedo faziam parte do pacotão de maldades para tentar calar a imprensa. Somem-se a isso os ataques frenéticos de blogs sujos pagos pelo governo federal. Parte da imprensa cedeu, mas parte se manteve firme e as notícias indigestas para o governo e o partido de Dilma e Lula eram diárias nos jornais. Com mais ou menos acidez, a mídia nacional não deixou de dar notícias que derretiam a credibilidade de Dilma Rousseff e de seu mentor, o ex-presidente Luiz Inácio Lula da Silva.

As pressões políticas, que ganharam voz em parte da imprensa, tentaram desencorajar o trabalho do juiz. O governo não deixou de usar todas as ferramentas comunicacionais para confundir a população. Eram mentiras em cima de mentiras. E Moro se manteve firme no propósito de seguir com seus julgamentos e suas conduções. Respeitou autoridades e orientou ações da Polícia Federal. O Ministério Público foi conselheiro o tempo todo.

Sérgio Moro teve aliados, além de ajuda inesperada. O país, convencido do papel investigativo de sua ação, passou a se mobilizar para ajudá-lo. A transparência midiática da

Lava Jato foi um reflexo da popularidade de um juiz que ousou enfrentar o poder estabelecido.

A Justiça e parte da imprensa atuaram para impedir abusos do poder.

AS IDEOLOGIAS POSTAS FORA DO CAMINHO

Fundado em 10 de fevereiro de 1980, o Partido dos Trabalhadores se tornou a maior legenda de esquerda da América Latina a chegar ao poder. A partir do Brasil, o PT fez história ao colocar um metalúrgico na presidência da República, em 2003.

Antes de chegar à presidência, Lula tentou em 1989, com José Paulo Bisol (PSB) como vice, e perdeu pra Fernando Collor de Mello (PRN), o primeiro presidente brasileiro a sofrer um impeachment no período pós-ditadura militar.

Sem desistir, ele tentou novamente em 1994 e perdeu para Fernando Henrique Cardoso (PSDB), tendo Aloizio Mercadante (PT) na tentativa de se tornar vice-presidente. A mesma derrota se repetiu em 1998, quando Lula tinha Leonel Brizola (PDT) como vice de chapa.

O ex-presidente depois conduziu uma ex-guerrilheira ao Planalto em 2011. Dilma Rousseff nunca foi simpática à democracia. Integrante do Comando de Libertação Nacional (COLINA) desde 1964, ela andava armada dentro da política estudantil.

Dilma participou das reuniões que geraram a fusão do COLINA com a Vanguarda Popular Revolucionária (VPR). As duas organizações deram origem à Vanguarda Armada Revolucionária Palmares (VAR-Palmares).

O partido de Lula e Dilma, e também de José Dirceu e José Genoino, era tratado como um exemplo de moralidade nos primeiros anos. O PT foi crítico no Diretas Já e na formação da Constituição de 1988, além de ter se oposto ao governo de Fernando Collor, apoiando seu impeachment. Permaneceu na mesma posição no governo Itamar e voltou a pedir o impedimento, sem sucesso, na gestão Fernando Henrique Cardoso.

O PT vendia a ideia que era sinônimo de futuro e de oposição consistente no Brasil. Uma farsa.

Ao assumir o governo federal, o partido mostrou sua verdadeira cara. As principais figuras atuaram no Mensalão e no Petrolão. A marca falsificada da ética caía por terra. As entranhas da corrupção apareciam. O juiz Sérgio Moro, sem perseguir ou discriminar partidos, desfez essa visão romântica da esquerda política no Brasil. Ele expôs um esquema nacional de corrupção que colocou o governo do PT em contradição. Os "proletários" de uma esquerda que adora mordomias, mamatas e não se importa com o bem público desmontaram a maior estatal de petróleo do país. A infraestrutura foi abandonada. Os planos de crescimento eram inexistentes. Os desvios, constantes. O Brasil era saqueado por piratas do poder. Como uma seita de adoradores do pensamento bolivariano e simpatizantes de sujeitos como Evo Morales e Hugo Chávez, as gestões petistas entraram numa contradição profunda.

Ao contrário do que pregam os pessimistas nostálgicos com a esquerda, a era PT foi desastrosa para o país.

Sem políticos "santos" e "mais honestos do que qualquer um", o Brasil caiu no realismo. Mitificou-se por muito tempo a figura de Lula, e muitos acreditaram que ele havia feito uma sucessora com alguma competência, a "gerentona" Dilma. Nesse ponto, aparecia a verdade de uma trama para manutenção do poder.

As apurações da Lava Jato acordaram o Brasil. O juiz Moro mudou nossa percepção sobre a esquerda.

A fraude que veio após a ditadura militar de que apenas os socialistas e os contrários ao capitalismo são os mais éticos para gerir o país se tornou nítida com a explosão da Lava Jato na mídia. O discurso era pura mentira.

Avançamos com as ideologias postas fora do caminho.

E, graças a Moro, podemos repensar a política.

DIFERENTES INSPIRAÇÕES PARA O PODER JUDICIÁRIO

A principal fonte de Moro na Lava Jato foi a Operação Mãos Limpas na Itália. Foi uma investigação de políticos que começou pelos socialistas para revolucionar todo o sistema partidário daquele país. A apuração teve uma união entre o Ministério Público e a imprensa.

A investigação não recuou diante do lobby político e nem diante das críticas que os acusadores sofreram. A onda só mudou quando os meios se tornaram adversos.

Silvio Berlusconi foi o homem que enterrou a Mãos Limpas. Político ascendente, ele penetrou na mídia e desmoralizou os promotores do caso. O risco de se fazer algo parecido no Brasil era justamente surgir um Berlusconi. Tentaram, mas felizmente não conseguiram.

Sérgio Moro teve a liberdade de conduzir os processos, ouvir depoimentos e perseguir pistas para pedir as prisões de homens-chave.

As referências do nosso juiz do Paraná estavam corretas. Ele buscou no coração da Europa um caso que poderia contribuir para mudar nossa mentalidade brasileira, limitada a exemplos de autoridades que desdenham de suas próprias obrigações. Sem jogar mais casos no STF, Moro tentou resolver os casos de primeira instância. O juiz federal mudou nosso país executando bem o seu próprio trabalho. Não se entregou à ineficiência, à leniência e à própria corrupção a que todos os servidores públicos estão sujeitos.

Mas a inspiração na Mãos Limpas não foi a única.

O procurador Carlos Lima, do Ministério Público, disse em diferentes entrevistas que a força-tarefa se inspirou nas melhores diretrizes da Justiça norte-americana. A instrução da delação premiada nada mais era do que chegar aos grandes criminosos oferecendo recompensas aos colaboradores.

É uma tradição diferente das leis brasileiras ou europeias. No pragmatismo estadunidense, os juízes e promotores buscam os melhores resultados em sua atuação.

As autoridades brasileiras acertaram ao trazer influências externas.

A força-tarefa da Lava Jato saiu do óbvio e do vazio para entregar os nomes que realmente atrasaram o Brasil nos últimos anos. A força-tarefa transpôs os próprios limites de sua atuação para se tornar protagonista do país.

E nada disso seria possível se Sérgio Moro não tivesse dado seus pontapés para iniciar toda uma mudança. E o fato de Carlos Lima conhecer Moro desde o Banestado prova que as autoridades já tinham uma sincronia para atuar de maneira mais certeira ao apurar as propinas da Petrobras, além de evitar abafamentos.

As diferentes influências externas vieram de um corpo técnico investigativo que se conhecia e tinha familiaridade com o caso. A Lava Jato inclusive trouxe antigos personagens do cenário público político.

CHANCE PARA REVER FAMOSOS CASOS DE CORRUPÇÃO ESQUECIDOS

Não foram somente os grandes casos de corrupção e nem os volumes grandes de dinheiro que se destacaram no Petrolão dentro das investigações da Lava Jato. De Silvinho Pereira até os acusados do caso Celso Daniel, em 2002, as investigações relevantes esquecidas foram ressuscitadas.

Numa sexta-feira, 1º de abril de 2016, a morte do ex-prefeito de Santo André voltou à imprensa catorze anos depois de sua fatalidade. Ronan Pinto, empresário do setor de ônibus e dono do jornal *Diário do Grande ABC*, foi preso por suspeita de ter recebido R$ 6 milhões, em 2004, através do pecuarista José Carlos Bumlai.

Sim, aquele que é amigo de Lula e um dos responsáveis pelo sítio de Atibaia. A propina foi fornecida a pedido do PT.

Moro se pronunciou sobre o caso e afirmou que o crime deveria ser revisitado. A fala dele foi reforçada por todo o time de investigação.

A tese da força-tarefa da Lava Jato é a de que o dinheiro pode ser fruto de propina paga pelo partido para que ele não revelasse detalhes da morte de Celso Daniel. O fantasma do ex-prefeito de Santo André assombrava o alto escalão petista.

Enquanto Ronan Pinto não se pronunciava, a Polícia Civil lançava explicações vazias de que o crime fora comum e que o político teria sido executado por estar em um Mitsubishi importado.

O Ministério Público do Estado de São Paulo fez uma séria investigação, a partir de 2003, mostrando que o ex-prefeito pode ter sido executado a mando de figuras do PT. Nomes importantes temem que a verdade venha à tona. A família de Celso Daniel sempre sustentou que a versão apresentada pela polícia na época não era verossímil.

Celso Daniel era cotado para ser o titular da pasta da Fazenda de Luiz Inácio Lula da Silva.

A tese de crime político é endossada por dois de seus irmãos: João Francisco e Bruno Daniel. Entre eles, o médico João chegou a falar com Gilberto Carvalho após a missa de sétimo dia e teria confessado o repasse de verbas, utilizando a prefeitura de Santo André.

Os grandes casos de corrupção não foram os únicos que ajudaram no combate à corrupção. Graças às ligações políticas do Petrolão, nenhum crime, grande ou pequeno, passou em branco.

E é importante que esses casos de uma década atrás ganhem destaque novamente. Diferentes veículos afirmam o que eu vou mencionar a seguir:

Para muitos que viviam em Santo André no período, a máfia dos transportes e a morte de Celso Daniel foram o embrião do Mensalão e do Petrolão. Por causa do assassinato? Não somente por isso. Mas sim por conta da queima de arquivo e do dinheiro do partido que circulou na cidade durante aquele momento.

O PAPEL DAS PRISÕES NA LAVA JATO

Era do senso comum, antes da Operação Lava Jato, que político rico não ia pra cadeia. E essa fora uma das grandes transformações nesse caso. Nem na investigação do Mensalão se fez algo similar. E não foi apenas com políticos e homens do poder público.

Grandes donos de empreiteiras, banqueiros e homens de negócios de todo tipo frequentaram a Vara de Curitiba para prestar esclarecimentos e eventualmente foram presos durante o processo. Os encarceramentos foram provisórios, mas serviram de exemplo para a população ao passar a simples mensagem: o crime não compensa. Muito menos aquele que envolve um volume absurdo de dinheiro.

Sérgio Fernando Moro ordenou a prisão de mais de dez dirigentes das maiores empreiteiras do Brasil, incluindo OAS e Odebrecht. A defesa das construtoras argumentou que houvera "tortura psicológica" nos pedidos de encarceramento provisório.

Os executivos podem receber visitas às quartas-feiras, como os outros presos que são alvo de outras missões da Polícia Federal. Os empresários estão presos em caráter preventivo na carceragem da PF, em Curitiba, base da operação. Eles são réus em ações penais por formação de organização criminosa, corrupção ativa e lavagem de dinheiro.

Os ânimos acirraram quando Marcelo Odebrecht foi preso em 19 de junho de 2015. O dono de uma das maiores empreiteiras do Brasil foi condenado em 8 de março de 2016 a 19 anos e 4 meses de prisão. Poderoso no meio empresarial, o filho de Emílio Alves Odebrecht reforçou as pressões em cima do juiz federal que mudou a história do Brasil.

Mas ele não cedeu.

Sérgio Fernando Moro disse que as prisões não tiveram o objetivo de "obter confissões involuntárias". As delações premiadas são fechadas através de acordos muito claros entre acusado e a Justiça. "Já a equiparação da prisão à tortura psicológica, eu não vislumbro sentido nela salvo se então admitido que todos os presos brasileiros sejam também considerados torturados psicológicos", afirmou o nosso juiz numa de suas raras declarações à imprensa.

A prisão e condenação de Marcelo Odebrecht marcou um Brasil arcaico que começava a acabar e mergulhou todos nós num país onde a impunidade não tem vez. É fundamental saber que figuras do setor privado também estão sendo punidas.

De certa forma, o caso Odebrecht reflete uma tendência que já era observada no Mensalão. Embora José Dirceu tenha sido um dos políticos mais punidos no esquema de compra de votos do Congresso, o publicitário Marcos Valério recebeu uma punição exemplar por seus crimes.

A lógica dessa atuação da Justiça é justamente punir os integrantes dos esquemas. É cortar o problema pela raiz. E não é possível existir uma Justiça efetiva sem a punição correta dos envolvidos nas investigações.

Nenhum empreiteiro de uma grande empresa, como é a Odebrecht, foi poupado. A companhia de 72 anos, fundada em Salvador, na Bahia, refletiu o espírito empreendedor de Norberto, avô de Marcelo, em sua origem. A família está presente no nosso país desde 1856, quando Emil Odebrecht veio da região germânica de Jacobshagen.

Mesmo essa história secular não impediu que Moro atuasse pela justiça. O juiz do Paraná julgou os corruptores da nação.

PETROBRAS E O NOVO PANORAMA PARA OS NEGÓCIOS

O centro das maiores especulações da Lava Jato neste Brasil em transição é justamente uma grande empresa, de grande capital no mercado financeiro, que ainda atua como empresa estatal. Estamos nos referindo à Petrobras.

E ela sofrerá uma grande transformação graças a Moro.

A companhia foi uma obra do ditador (e posteriormente presidente) gaúcho Getúlio Dornelles Vargas. Foi instituída pela Lei nº 2 004, em 3 de outubro de 1953.

No que consistia aquele projeto? A lei regulou a política nacional do petróleo, definindo as atribuições do Conselho Nacional do Petróleo (CNP).

Assim, a criação da empresa estabeleceu o monopólio estatal do recurso energético. Criada a Petrobras, emergiu a famosa frase "o petróleo é nosso". O panorama era do Estado grande e do nacionalismo exacerbado. Não por acaso, o presidente Vargas cometeu suicídio com um tiro, em 24 de agosto de 1954.

A ideia por trás da companhia poderia ser boa a princípio, mas com o passar do tempo ela se tornou um cabide de emprego para funcionários públicos. A eficiência e a proteção das nossas riquezas deram espaço para a ineficiência parasitária e a corrupção em seu estado bruto. Enquanto o preço do petróleo disparou, mesmo com a crise de 1980, a empresa não conseguiu ter uma gestão focada no futuro.

Uma exceção na história da Petrobras foi o processo de abertura das privatizações nos anos FHC. Depois de exercer por mais de quarenta anos, em regime de monopólio, o trabalho de exploração, produção, refino e transporte do petróleo no Brasil, a Petrobras passou a competir com outras empresas estrangeiras quando o presidente Fernando Henrique Cardoso sancionou a Lei nº 9 478, de 6 de agosto de 1997.

Estudou-se uma privatização completa da empresa, que não foi concluída. Uma pena. A privatização da Petrobras teria salvo a empresa da sangria. Bem, ações da companhia foram para a Bovespa, a bolsa de valores de São Paulo. Era campeã de vendas.

A Petrobras ultrapassou a Microsoft, tornando-se a terceira maior empresa do continente americano em valor de mercado, segundo a consultoria Economatica, em 2008.

Cinco anos depois, quando a crise começou a se instalar na empresa estatal, ela ainda tinha um lucro líquido de R$ 23,57 bilhões. No ano seguinte, o prejuízo caiu para R$ 21,58 bilhões. Já em 2015, o rombo aumentou para R$ 34,8 bilhões. O preço do petróleo também despencou de cerca de US$ 100 para US$ 30.

Chamada de maior empresa brasileira, a Petrobras se transformou numa vergonha nacional. Entre seu corpo de gestores, lá estava ela, Dilma Rousseff, no comando de tudo. Ela comandou o Conselho de Administração da estatal durante a compra da fraudulenta refinaria de Pasadena. A mesma "governanta" também não permitiu a entrada efetiva de grandes companhias como a Shell na exploração das reservas do pré-sal que se estendiam do norte da Bacia de Campos ao sul da Bacia de Santos.

É uma grande e funda reserva de petróleo, anterior à formação salina nas camadas marinhas, presente do Alto de Vitória, no Espírito Santo, até o Alto de Florianópolis, em Santa Catarina.

Jogar a responsabilidade da operação dessas reservas numa estatal que desviou pelo menos R$ 6 bilhões comprovados no Petrolão é, no mínimo, uma enorme irresponsabilidade. Conforme as investigações da Lava Jato avançavam, ficava claro que crime se tornou o método de gestão da empresa.

A esperança que existia na Petrobras virou pesadelo.

O que a Lava Jato indicou é que existe uma urgência para mudar tudo, recomeçar de novo, implantar uma política de competitividade, competência, independência do governo federal, além de limpeza no setor do petróleo. Conceitos que precisam ser aplicados tanto do ponto de vista da exportação quanto do consumo interno.

E a estatal, tal como ela existe hoje, não pode continuar gerida por diretores que lavam dinheiro com doleiros, ou que são tão incompetentes que mesmo com o roubo escancarado dizem que "não sabiam de nada". Os esquemas criminosos desviam verba pública oriunda dos impostos que eu e você pagamos. Os ganhos da empresa são perdidos graças a esquemas criminosos que funcionam a todo vapor. Os anos do PT no poder destruíram a produtividade extrema da maior companhia nacional.

É necessário privatizar, é necessário abrir concorrência e é necessário recuperar uma empresa que já foi grande. Só a privatização e uma gestão eficiente podem salvar a companhia. Mas isso não se dará na mão de políticos populistas que jamais pensarão na eficiência empresarial.

A ressurreição da Petrobras se dará quando o Brasil, de fato, voltar os olhos para o mercado e tratá-lo com o respeito que ele merece. É dessa forma que os recursos naturais que temos serão tratados com o empenho que merecem. A meritocracia precisa prosperar dessa forma. Precisa virar método de gestão.

Premiaremos a competência ao invés do cabide de emprego.

Respeitaremos a sociedade ao invés de governantes.

Teremos um crescimento sustentável.

E isso parará os famosos "voos de galinha" na economia brasileira, que nunca consegue um crescimento sustentável.

A REFORMA DA JUSTIÇA

O último grande aspecto mudado no Brasil graças a Sérgio Moro foi ela mesma: a Justiça.

Como diversos setores da imprensa já apontaram, os grandes processos políticos estavam alocados no STF. Quem tem foro privilegiado cai nas mãos do Supremo. Essa prerrogativa – sim, vergonhosa – atrasa consideravelmente os processos. Pensemos em Lula. Tudo o que ele queria era ter foro privilegiado para fugir das mãos de Moro.

Moro mostrou que era possível fazer mais. Lidou com crimes robustos e fez valer as prerrogativas de um juiz federal de primeira instância. E o raciocínio dele, ao longo do procedimento de julgamento, foi sofisticado.

Nosso juiz puxou boa parte das acusações do Petrolão através das delações premiadas de Alberto Youssef, doleiro do Paraná. Como o caso se referia ao Estado de Sérgio Moro, os depoimentos e as penas saíram da Vara de Curitiba.

Nada de Brasília intermediando o processo.

Em casos de figuras poderosas que já foram julgadas por outros casos, como o ex-ministro José Dirceu, elas entraram no processo da Lava Jato e foram para a prisão sem a prerrogativa do foro. O ex-ministro de Lula tinha perdido o direito e foi encarado como um cidadão comum.

Sérgio Moro quebrou as burocracias que defendem a classe política.

Diminuindo os privilégios dos poderosos, ele exigiu o equilíbrio e a eficiência de seu próprio trabalho. Para isso, teve apoio do Ministério Público e da Polícia Federal para a execução de toda a operação.

E eis que saíram os condenados da Operação Lava Jato até o momento. Todos tiveram penas robustas e multas financeiras incluídas. Algumas condenações, no entanto, foram reduzidas em decorrência das delações premiadas.

Em 22 de abril de 2015, oito acusados receberam suas sentenças. As pessoas foram:

1. Alberto Youssef, doleiro: Nove anos e dois meses por lavagem de dinheiro. Multa de R$ 763 mil.
2. Esdra de Arantes Ferreira, sócio da empresa Labogen: Quatro anos e cinco meses por lavagem de dinheiro. Multa de R$ 20 mil.
3. Márcio Andrade Bonilho, da companhia Sanko Sider: Onze anos e seis meses de prisão, por crime de organização criminosa e lavagem de dinheiro. Multa de R$ 741 mil.
4. Waldomiro de Oliveira, da Sanko Sider, "laranja" de Youssef: Onze anos e seis meses de prisão, por crime de organização criminosa e lavagem de dinheiro. Multa de R$ 148 mil.
5. Leandro Meirelles, sócio da Labogen: Seis anos e oito meses por lavagem de dinheiro. Multa de R$ 68 mil.

6. Leonardo Meirelles, sócio da Labogen: Cinco anos e seis meses por lavagem de dinheiro. Multa de R$ 171 mil.
7. Paulo Roberto Costa, ex-diretor da Petrobras: Sete anos e seis meses por crime de organização criminosa e lavagem de dinheiro. Multa de R$ 408 mil.
8. Pedro Argese Junior, operador do esquema: Quatro anos e cinco meses por lavagem de dinheiro. Multa de R$ 20 mil.

Youssef está preso em Curitiba. Por causa do acordo de delação fechado com Sérgio Moro, ele cumprirá pena em regime fechado por três anos e devolverá R$ 55 milhões aos cofres públicos. Youssef é um dos pivôs do Petrolão. Se ele não tivesse colaborado com a Justiça, poderia ter sido condenado a mais de cem anos de cadeia.

Em 26 de maio, o ex-diretor da Petrobras e uma das figuras fundamentais da investigação, Nestor Cerveró, foi condenado a cinco anos de prisão em regime fechado por lavagem de dinheiro. Acumulou duas multas, sendo uma de mais de R$ 500 mil e outra de R$ 1 140 725.

Além das pessoas presas em datas determinadas, um grupo de acusados foi preso em períodos de tempo maiores. Entre abril e agosto de 2015, 24 pessoas foram julgadas. Saiba quem são:

1. André Catão de Miranda, ligado a Youssef: Quatro anos em regime semiaberto por lavagem de dinheiro.[15]
2. Carlos Alberto Pereira da Costa, ligado a Youssef: Dois anos e oito meses por lavagem de dinheiro, substituída por restrição de direitos.
3. Carlos Habib Chater, ligado a Youssef: Cinco anos e seis meses em regime fechado por lavagem de dinheiro.
4. Cleverson Coelho de Oliveira, ligado a Youssef: Cinco anos e dez dias de prisão por evasão de divisas, operação de instituição financeira irregular e pertinência à organização criminosa.
5. Dalton dos Santos Avancini, ex-presidente do Conselho de Administração da Camargo Corrêa: Quinze anos e dez meses de prisão por corrupção, lavagem de dinheiro e pertinência à organização criminosa.
6. Ediel Viana da Silva, ligado a Youssef: Três anos em regime fechado por lavagem de dinheiro e uso de documentos falsos.
7. Eduardo Hermelino Leite, ex-vice-presidente da Camargo Corrêa: Quinze anos e dez meses de prisão por corrupção ativa, lavagem de dinheiro e pertinência à organização criminosa.
8. Esdra de Arantes Ferreira, ligado a Youssef: Quatro anos e cinco meses de prisão por lavagem de dinheiro.
9. Faiçal Mohamed Nacirdine, ligado a Youssef: Um ano e seis meses por operar instituição financeira irregular.

---

15 A pena foi revertida em 2015 para o funcionário do doleiro Carlos Chater, dono do posto de combustíveis que deu origem à Operação Lava Jato. (N.E.)

10. Fernando Antônio Falcão Soares, lobista conhecido como Fernando Baiano: Dezesseis anos e um mês de prisão por corrupção passiva e lavagem de dinheiro.
11. Fernando Augusto Stremel Andrade, funcionário da OAS: Quatro anos de reclusão por lavagem de dinheiro. A pena privativa de liberdade foi substituída por prestações de serviços à comunidade e pagamento de multa de cinquenta salários mínimos. Foi absolvido da corrupção ativa e organização criminosa por falta de provas.
12. Iara Galdino da Silva, doleira: Onze anos e nove meses de prisão por evasão de divisas, por operar instituição financeira irregular, corrupção ativa e pertinência à organização.
13. Jayme Alves de Oliveira Filho, acusado de atuar com Youssef na lavagem de dinheiro: Onze anos e dez meses por lavagem de dinheiro e pertinência à organização criminosa.
14. João Ricardo Auler, ex-presidente do Conselho de Administração da Camargo Corrêa: Nove anos e seis meses de prisão por corrupção e pertinência à organização criminosa.
15. José Aldemário Pinheiro Filho, presidente da OAS: Dezesseis anos e quatro meses de reclusão por organização criminosa, corrupção ativa e lavagem de dinheiro.
16. José Ricardo Nogueira Breghirolli, apontado como contato de Youssef com a OAS: Onze anos de reclusão

por organização criminosa e lavagem de dinheiro. Foi absolvido de corrupção ativa por falta de provas.

17. Juliana Cordeiro de Moura, ligada a Youssef: Dois anos e dez dias de prisão por evasão de divisas e operação de instituição financeira irregular.
18. Júlio Gerin de Almeida Camargo, ex-consultor da Toyo Setal: Catorze anos de prisão por corrupção ativa e lavagem de dinheiro. Devido ao acordo de delação premiada, deve pegar cinco anos, em regime aberto.
19. Luccas Pace Júnior, ligado a Youssef: Quatro anos, dois meses e quinze dias de prisão por evasão de divisas, por operar instituição financeira irregular e pertinência à organização criminosa. Devido ao acordo de delação premiada, teve a pena reduzida pela metade.
20. Maria Dirce Penasso, ligada a Youssef: Dois anos, um mês e dez dias de prisão por evasão de divisas e operação de instituição financeira irregular.
21. Matheus Coutinho de Sá Oliveira, ex-funcionário da OAS: Onze anos de reclusão por organização criminosa e lavagem de dinheiro. Foi absolvido de corrupção ativa por falta de provas.
22. Nelma Mitsue Penasso Kodama, doleira: Dezoito anos de prisão por evasão de divisas, operação de instituição financeira irregular, corrupção ativa e pertinência à organização criminosa.
23. Renê Luiz Pereira, ligado a Youssef: Catorze anos em regime fechado por tráfico de drogas.

24. Rinaldo Gonçalves de Carvalho, ligado a Youssef: Dois anos e oito meses de reclusão por corrupção passiva.

Outros nove acusados foram condenados, em 21 de setembro do ano passado. Seguem os nomes:

1. Adir Assad: Dez anos e dez meses por lavagem de dinheiro e associação criminosa.
2. Augusto Ribeiro de Mendonça Neto, da Toyo Setal: Dezesseis anos e oito meses de reclusão por corrupção ativa, lavagem de dinheiro e associação criminosa.
3. Dario Teixeira Alves Júnior: Nove anos e dez meses por lavagem de dinheiro e associação criminosa.
4. João Vaccari Neto, ex-tesoureiro do PT: Quinze anos e quatro meses de reclusão por corrupção passiva e lavagem de dinheiro.
5. Julio Gerin de Almeida Camargo, da Toyo Setal: doze anos de reclusão por corrupção ativa, lavagem de dinheiro e associação criminosa.
6. Mario Frederico Mendonça Goes, operador do esquema: Dezoito anos e quatro meses por corrupção passiva, lavagem de dinheiro e associação criminosa. Com os benefícios da delação, ele vai cumprir prisão domiciliar até agosto de 2016 e mais dois anos em prisão semiaberta.
7. Pedro Barusco, ex-diretor da Petrobras: Dezoito anos e quatro meses por corrupção passiva, lavagem de dinheiro e associação criminosa.

8. Renato Duque, ex-diretor da Petrobras: Vinte anos e oito meses de reclusão por corrupção passiva e lavagem de dinheiro.
9. Sônia Mariza Branco, operadora do esquema: 9 anos e dez meses de reclusão por lavagem de dinheiro e associação criminosa.

Mais três pessoas tiveram suas prisões e penas divulgadas, em 22 de setembro:

1. André Vargas, ex-deputado do PT, que atualmente está sem partido: Catorze anos e quatro meses de reclusão por corrupção passiva e lavagem de dinheiro. Multa de três salários mínimos durante 280 dias, o que equivale a mais de R$ 660 mil.
2. Leon Denis Vargas Ilário, irmão do ex-deputado: Onze anos e quatro meses de reclusão, com multa de dois salários mínimos durante 160 dias, o que equivale a mais de R$ 252 mil.
3. Ricardo Hoffmann, operador da agência de publicidade Borghi Lowe: Doze anos e dez meses. Multa de cinco salários mínimos durante 230 dias, o que equivale a mais de R$ 906 mil.

Perto do fim de 2015, em 16 de novembro, mais uma condenação saiu: a de Luiz Argôlo. Ele recebeu onze anos e onze meses de reclusão em regime inicialmente fechado, por corrupção passiva, lavagem de dinheiro e pagamento de multa de R$ 459 740. O acusado foi absolvido quanto ao crime de peculato.

Em 2 de dezembro, outras cinco condenações foram divulgadas. Algumas delas envolvem delatores e criminosos que já haviam sido penalizados antes:

1. Erton Medeiros Fonseca, empresário: Doze anos e cinco meses por corrupção ativa, lavagem de dinheiro e associação criminosa.
2. Jean Alberto Luscher Castro, executivo: Onze anos e oito meses por corrupção ativa, lavagem de dinheiro e associação criminosa.
3. Dario de Queiroz Galvão, ex-presidente da empreiteira: Treze anos e dois meses por corrupção ativa, lavagem de dinheiro e associação criminosa.
4. Alberto Youssef, doleiro: Treze anos, oito meses e vinte dias por corrupção passiva e lavagem de dinheiro. A pena foi suspensa devido ao acordo de delação premiada.
5. Paulo Roberto Costa, ex-diretor da Petrobras: Cinco anos e cinco meses por corrupção passiva.

Em 8 de março, já em 2016, sete condenações fecharam esse extenso processo:

1. Marcelo Odebrecht: Dezenove anos e quatro meses de prisão, em regime fechado, por lavagem de dinheiro, associação criminosa e corrupção ativa.

2. Márcio Faria da Silva: Dezenove anos e quatro meses de prisão, em regime fechado, por lavagem de dinheiro, associação criminosa e corrupção ativa.
3. Rogério Santos de Araújo: Dezenove anos e quatro meses de prisão, em regime fechado, por lavagem de dinheiro, associação criminosa e corrupção ativa.
4. César Ramos Rocha: Nove anos, dez meses e vinte dias, inicialmente, em regime fechado, por associação criminosa e corrupção ativa. César foi absolvido pelo crime de lavagem de dinheiro por falta de provas suficientes para a condenação.
5. Alexandrino de Salles Ramos de Alencar: Quinze anos, sete meses e dez dias de prisão, inicialmente, em regime fechado, por lavagem de dinheiro e corrupção ativa. Alexandrino foi absolvido do crime de associação criminosa por falta de provas suficientes para a condenação.
6. Pedro José Barusco Filho: Quinze anos de prisão por conta do acordo firmado de delação premiada por corrupção passiva e lavagem de dinheiro.
7. Paulo Roberto Costa: Vinte anos e três meses de prisão por lavagem de dinheiro e corrupção passiva. Costa tem outras condenações; o juiz deixa de aplicar suas penas devido ao acordo de delação premiada que prevê, no máximo, vinte anos de prisão.[16]

Com tantos condenados e tantas provas robustas de corrupção, como subestimar o trabalho de um juiz de primeira

---

16 Informações do G1 e da *Folha de S. Paulo*.

instância? Com tanto trabalho duro, como não enxergar uma Justiça diferente depois desse processo?

Estes são os legados de Sérgio Fernando Moro. Agora resta pensar o que faremos com tanta mudança.

Hora de pensar no povo.

10.

TODOS CONTRA A CORRUPÇÃO

Como poderemos nos unir para evitar escândalos de corrupção? Quais lições foram aprendidas neste processo?
O que sobrará do trabalho de Moro?

A população, de diferentes locais do Brasil, tomou as ruas a partir de 2013. O clamor era por maior transparência da política e pelo julgamento justo de quem cometer crimes.

Veio Moro e mudou a nossa história.

E agora? O que aconteceu com o Brasil do Petrolão a gente já sabe, mas o que vai acontecer a partir desse momento? É hora de pensar no que vamos fazer depois de tantas mudanças. Este capítulo elenca as minhas reflexões e creio que a maioria são contra a corrupção e refletem sobre o futuro do Brasil.

PEQUENAS ATITUDES FAZEM A DIFERENÇA

Como não se inspirar na história do nosso juiz do Paraná? Aplicado nos estudos, ele sempre se esforçou, se dedicou e valorizou o conhecimento. Jamais alguém como Moro faria o que fez pelo Brasil usando o "jeitinho brasileiro". O que existe por trás de tudo isso é uma CONSTRUÇÃO!

Certamente, se Moro pudesse nos dar um conselho seria: Esforce-se! Esforce-se! Esforce-se! Seja íntegro!

Claro que Sérgio Moro é um ser humano incrível e que já entrou para a História. E nós? Nós também fazemos parte dessa mudança e precisamos exercer cidadania no dia a dia. Consumir cultura, conhecer nossa história, ler sem parar é ótimo, mas é preciso mais que isso para exercer o simples papel de cidadão. É necessário banir a política da vantagem a qualquer custo. Vamos lá! Coisas simples. Não furar filas. Não jogar lixo no chão. Ter sinceridade. Não tentar se promover às custas de outros. Ter os limites de até onde se pode ir. Sim, se preocupar com o outro e com nosso país. Como exigir coisas grandes se não fazemos nem as pequenas? É preciso sim viver valores éticos e morais que foram massacrados por essa turma que depredou não só o patrimônio público, mas a esperança de um país, os valores, a decência. Criticar é o mais fácil, mas todos temos que agir como agentes contra a corrupção e qualquer tipo de corrupção ou desvio de conduta. É preciso ser honesto e pronto.

Hoje, esses conceitos fundamentais ficaram meio *démodé*. Pois é hora de eles ressurgirem com força. Entender que é preciso pensar não só em si mesmo, mas numa nação. O PT fez o que fez com o país porque seus caciques pensaram em si mesmos e no poder pelo poder em detrimento do Brasil. Pode parecer conversa de carola, mas tenha certeza de que passar esses valores adiante fará, num futuro breve, grande diferença no nosso país. Por que em grandes democracias a classe política teme o cidadão e sabe que deve prestar conta e ele? Por que muitos lá fora se destacam mais do que nós? Porque em grandes democracias o povo conhece seus direitos, sim, mas também seus deveres. Porque a Constituição é ensinada na escola primária e porque a impunidade jamais é uma certeza. Ainda existe a vergonha de transgredir valores morais e éticos. Temos que recuperar essa vergonha.

Sérgio Moro certamente poderia ter feito da Operação Lava Jato uma ação pouco notável se não estivesse disposto a executar bem seu trabalho. Repleto de disposição, ele adquiriu coragem com o tempo para não se intimidar diante das dificuldades.

O que o nosso juiz do Paraná faz é uma luta diária. Ninguém chega à lista dos cem mais notáveis da revista *Time* sem muito trabalho duro e sem uma visão que pode fazer a diferença. É uma lição. Faça você também. Comece em casa, no seu bairro, na sua cidade. Faça a diferença todos os dias.

E é possível despertar o Moro que existe dentro de você.

E é possível tê-lo como um exemplo. O menino colecionador de gibis de heróis dos quadrinhos acabou se tornando um herói de verdade. No fim, Moro é simplesmente um brasileiro fazendo aquilo que acredita da melhor forma que ele consegue. Moro fez o Brasil se reerguer.

Não há superpoderes. Há apenas coragem, trabalho, dedicação e retidão. Esse é o juiz Moro.

A POLÍTICA E AS PAIXÕES INÚTEIS

Cuidado com as admirações a líderes políticos. Cuidado com os "salvadores da Pátria". Assim nasceu o político Lula, que jogou o Brasil no fundo do poço. Desconfie sempre. O Estado é uma entidade poderosa que deve ser mantida sob controle. Menos Estado, mais cidadão. Simples assim. Temos que ter liberdade pessoal, política e econômica. A sociedade organizada precisa ganhar músculos para pressionar o Estado, deixá-lo imprensado, sem expandir suas garras.

Nas grandes democracias quem manda é a sociedade organizada. Nas ditaduras quem manda é o Estado. Fácil entender, não é?

A Operação Lava Jato provou que nossa democracia sofreu um atentado. O governo do PT inchou a máquina o máximo que pôde, fez o Estado crescer para todos os lados e pressionou a sociedade. Temos que fazer o movimento de volta. E para isso é preciso que nossos governos não sejam filiais de grupos de esquerda, dispostos a tudo para manter o poder.

Duvide de líderes carismáticos. Duvide de populistas. E não tenha medo de encarar os criminosos de colarinho branco. Os crimes cometidos por governantes prejudicam a população inteira. Eles devem ser condenados em todas as esferas, em especial nas urnas.

Aqueles realmente preocupados com a corrupção, que acompanham minimamente a situação política no país, já sabem de tudo o que eu estou escrevendo neste livro e nesta parte específica, mas a informação precisa chegar de forma simples a todos, inclusive a quem ainda não entendeu que pode ser um agente de mudança. São as paixões políticas rasas e a forma como crimes foram encobertos que ajudaram a corrupção a se propagar.

Lula e Dilma não teriam o ibope que tiveram se o Brasil não aceitasse por tanto tempo os desvios de caráter da classe política. A eleição foi um estelionato eleitoral. E ainda assim Dilma foi reeleita.

O povo é mais forte do que qualquer partido.

O povo é mais forte do que qualquer ideologia fajuta.

Temos a capacidade de criar uma sociedade melhor se não cedermos às tentações que distorcem o caminho da verdade. E a história de Moro, vindo de origem humilde ao reconhecimento mundial, mostra que existe futuro para quem não cede a paixões levianas que não levam a lugar nenhum.

Para a população crescer e insurgir contra a corrupção, ela deve ter um pensamento focado, um empreendedorismo livre e uma busca por soluções inteligentes e pioneiras. E nada disso é possível sem um grande obstáculo que precisamos superar: o "Estado-Babá".

Precisamos nos livrar dessa síndrome de que o Estado é o pai do povo. A síndrome da estabilidade, a síndrome da boquinha, a síndrome dos comissionados, a síndrome da vantagem e da malandragem. Isso tem que mudar. Fora de uma gestão estatal inchada e paquidérmica, podemos falar de concorrência e eficiência.

Ao se libertar das amarras governamentais, chegaremos num passo importante, fundamental e próspero para a democracia brasileira.

Ficamos 21 anos sob o controle da ditadura militar e agora estamos 30 anos sob uma democracia ineficiente, a qual nos últimos 13 anos foi profundamente atacada. Por sorte, temos no impeachment um remédio. Já aplicamos duas vezes. É chegado então o momento para mais virtudes sociais dos organismos que realmente funcionam.

AQUELES QUE QUEREM O FIM DA CORRUPÇÃO CONFIAM NAS INSTITUIÇÕES

O trabalho de Moro é o trabalho de um Judiciário responsável. Para além das paixões políticas, e tomando atitudes diárias contra a corrupção, a população deverá confiar cada vez mais nas instituições.

Precisamos de um povo livre que empreenda e que faça competição entre si, formando o melhor mercado possível, capitalista e produtivo. Tentar implantar um socialismo ineficaz num país capitalista deu no que deu. Sem um Estado que diminua sua prosperidade, o brasileiro se vê livre de políticos que roubam dinheiro público e inviabilizam o seu crescimento.

Sérgio Moro desenvolveu uma Justiça que, de fato, julga, aliada a um Ministério Público que fez as acusações precisas e uma Polícia Federal que operacionalizou a limpeza da corrupção. Independentemente da presidência e de seus braços de influência, as autoridades investigaram e puniram as entranhas da República até a queda de Dilma Rousseff.

O Brasil do futuro reflete os frutos da Lava Jato. A Justiça que pune o pobre também chegou agora e puniu o rico e o poderoso. O bom julgamento obedeceu a todas as instâncias e não sobrecarregou o STF. De Sérgio Moro, na primeira instância, a Teori Zavascki no Supremo, as fases dos processos foram respeitadas, junto com seus recursos.

Estado Democrático de Direito em sua forma pura.

Ao enxergar um herói em Moro, os brasileiros se uniram para mostrar a democracia verde e amarela representada em instituições carentes de proteção e que devem funcionar em sua eficiência plena. O que Moro fez é a sua obrigação, mas diante de tantos problemas sociais explícitos, a sua atitude foi de heroísmo.

A roda da mudança do nosso país começou a operar. As punições estão acontecendo e o Brasil está recebendo parte do que foi roubado graças à Operação Lava Jato. O procurador Carlos Lima, em diferentes entrevistas, afirmou que pelo menos R$ 4 bilhões retornaram aos cofres públicos.

Não se preocupe, pois há muito mais – dinheiro tomado de nós, uma sociedade que conviveu tempo demais com a corrupção e a roubalheira.

O ciclo de transformação brasileira está dado. Se a população entendeu mesmo o trabalho das autoridades com as investigações, e se houve, de fato, esse respeito, as transformações vão ocorrer. Pensar no futuro ainda é especulação, mas já é possível sorrir.

A esperança brotou diante de tantos casos que deprimiram quem abriu a capa dos jornais nos últimos quinze anos. Podemos ver uma luz no fim do túnel graças ao trabalho humano de um grande cidadão.

Sérgio Fernando Moro.

11.

COMO SERÁ O BRASIL DAQUI PARA FRENTE?

Algumas breves reflexões sobre o Brasil do futuro e como a sociedade poderá evoluir após o Petrolão. Quais serão nossos próximos passos como cidadãos?

Eu, Joice Hasselmann, como milhões de brasileiros, estou batalhando por um novo Brasil. Não desisto, nem com pressões, nem com ameaças, nem com retaliações, nem com minha cabeça rolando em bandejas de redações a mando de poderosos. Minha espinha permanece ereta e meu coração, sempre tranquilo. O meu jeito intrépido de falar às vezes assusta. Acho que a verdade às vezes assusta.

Faz muito tempo que não moro em um lugar só, apesar de ter uma base em São Paulo. Gravo pelo menos quatro vídeos por dia, vivo em aeroportos e mantenho contato constante com políticos. Muitos querem ver o meu fígado exposto em praça pública, mas, ainda assim, me respeitam. Sou apaixonada pelo meu trabalho. Não tenho medo de guerrear intelectualmente pelo meu país. Não tenho medo de me expor. A covardia não está entre meus incontáveis defeitos.

Recentemente estive nos Estados Unidos, quando Dilma foi a uma reunião da ONU para falar acerca do "golpe".

Gravei de lá alguns comentários e concedi algumas entrevistas sobre o meu trabalho independente e engajado, inclusive para uma revista da Flórida, que gentilmente me convidou para ser a capa da edição.[17] Era importante me manifestar, afinal, a Dilma e o PT haviam plantado muitas mentiras em jornais americanos. Mas o importante disso é que percebo que o mundo está olhando para o Brasil.

Os norte-americanos, por exemplo, enxergam o nosso país com muita curiosidade. Eles, sempre ansiosos e *workaholics*, já tentam entender o que vai surgir aqui depois de tantas investigações de corrupção.

Nós podemos crescer e emergir como uma grande nação, mas isso só será possível com muita mão na massa.

Retidão.

Integridade.

Perseverança.

Fé.

Confiança.

Estou dialogando com grandes instituições. Verificando dados do Banco Mundial e de diversas entidades, precisamos pensar em modificações mais consistentes.

E um fator social sempre me chamou a atenção: a formação das nossas cidades.

Com tantas empreiteiras envolvidas em corrupção, precisamos repensar a atuação do governo, o trabalho das

---

17 Referência à *Facebrasil Magazine* v. 6, n. 60. (N.E.)

empresas privadas e dos cidadãos. Devemos absorver lições do que aconteceu e começar a construir o futuro.

Montando metrópoles, pequenas ou grandes, de forma conectada, ecológica e próspera, cidades inteligentes. Começamos nas cidades, seguimos pelos estados e assim teremos um grande Brasil. Eu não vou desistir. E como sempre digo em meus vídeos: *vamos juntos, Brasil!* Devemos repensar nossos custos, a nossa competitividade e a inovação.

Inovação não combina com corrupção, nem com ineficiência. Esta é uma das maiores heranças que Sérgio Moro nos legou.

Como defensora do nosso juiz, encerro este livro acreditando, sim, que podemos ser melhores, que podemos reconstruir nosso Brasil e que todos, eu e você, somos responsáveis por isso. Mantenho meus compromissos como jornalista, como cidadã, como brasileira.

Permanecerei uma colunista e repórter insistente, implicante, com a mão pesada, sim, e sempre armada com meu salto agulha.

Disposta a fazer as perguntas certas a fim de obter as melhores respostas.

Este é o retrato sincero que faço do perfil de Moro, juiz responsável por comandar a operação que abriu as portas para a reconstrução do Brasil.

ANEXO

ENTREVISTAS E DEPOIMENTOS

Conheça mais sobre a história de Sérgio Moro por meio de personagens-chave que estiveram em contato com o juiz que mudou o Brasil através da Operação Lava Jato. E através dos seus próprios depoimentos.

Discurso de Sérgio Moro na Federação das Indústrias do Paraná, após a divulgação dos grampos de Lula.

Penso que neste momento de certa turbulência, de certo radicalismo, claro que são compreensíveis as angústias e as reclamações diante do contexto econômico, do contexto político, do noticiário policial de cada dia. Mas, ainda assim, é importante que isso seja desenvolvido sem discurso de ódio, sem violência contra ninguém.

Pelo menos enquanto eu julguei aqui, eu confesso que fiquei assustado. Porque o sujeito, tendo a sua responsabilidade criminal discutida, com muita seriedade pelo Supremo Tribunal Federal, o Supremo Tribunal Federal todo preocupado para não condenar injustamente alguém, preocupado em analisar as provas, em emitir julgamentos seguros e, enquanto isso, esse ex-deputado continuava recebendo propina de um outro esquema criminoso.

Depois se critica que a Lava Jato prejudicou os investimentos no país, mas esse tipo de investimento? E se isso se reproduziu em outras obras da Petrobras? E se isso se reproduziu em outras obras das nossas estatais? Será que valeria a pena esse tipo de investimento?

Guardadas as devidas proporções, digo mais uma vez que não estamos em guerra com ninguém, mas, admitamos que estamos em uma difícil recessão, corrupção sistêmica e imprevisibilidade política; tenho a confiança de que se nós confiarmos na nossa democracia, lutarmos pela nossa democracia, daqui vinte, trinta anos nós possamos olhar pra trás e pensar que, se esse não foi o nosso melhor momento, talvez tenha sido um deles.

Discurso de Sérgio Moro no Fórum da Associação Nacional dos Editores de Revistas (ANER) sobre as dificuldades da Lava Jato.

Apesar dessas revelações e de todo o impacto desse processo, não assisti a respostas institucionais relevantes por parte do nosso Congresso e do nosso governo. Parece que a Operação Lava Jato é uma voz pregando no deserto.

No caso da Petrobras, por exemplo, há indícios de que todos os grandes contratos envolviam o pagamento de propina. O nível de deterioração da coisa pública é extremamente preocupante. A quantidade de pessoas nas ruas revelou insatisfação e não tivemos respostas institucionais mais relevantes.

Parece-me que a lei proposta pelo governo ficou um pouco vaga em delimitar o direito de resposta. Em quais circunstâncias deve-se permitir o direito de resposta? Mesmo se a notícia for verdadeira, por exemplo? Nisso a lei não é clara.

Não digo que foi essa a intenção, mas se mal utilizada, pode acabar resultando [em censura]. A minha crítica não é contra o direito de resposta em si, isso é assegurado constitucionalmente e, em princípio, amplia o debate. Mas a forma, o procedimento, a vagueza da lei em não estabelecer as hipóteses em que esse direito deve ser exercido acabam possibilitando que ela seja usada como instrumento de censura.

A democracia e a liberdade demandam que as coisas públicas sejam tratadas de forma pública. A Constituição deu uma resposta bem clara de que a publicidade tinha que ser ampla. Com a ressalva, no processo penal, de que temos resguardado sigilo quando há prejuízo à investigação. Não se pode falar de vazamento quando o processo jurídico é público.

Grampos polêmicos envolvendo o ex-presidente Luiz Inácio Lula da Silva e figuras políticas centrais do Brasil dentro da documentação da Operação Lava Jato.

Lula e Dilma falam sobre o termo de posse, em 16 de março de 2016. O trecho foi destaque da GloboNews e da TV Globo.

Após a sua condução coercitiva por agentes da Polícia Federal, Lula se queixou da Lava Jato para a presidente Dilma. A conversa ocorreu em 4 de março de 2016.

Dilma: Alô, alô. Oi, Lula![18]

Lula: Tudo bem?

Dilma: Não, não tô achando tudo bem, não.

Lula: Faz parte...

Dilma: Ah, faz parte? Então tá bom. E como é que você tá?

Lula: Eu tô bem...

Dilma: Tá?

Lula: Eu tô bem, eu falei com a *Marisa* agora, eles já foram embora de casa, já foram embora da casa do *Fábio*, já foram embora da casa do *Sandro*, eu só não consegui falar com *Marcos*. As perguntas, se os canalhas tivessem mandado um ofício, teria ido prestar depoimento, como eu já fui três vezes a Brasília prestar depoimento. Eu acho que o *Moro* quis fazer um espetáculo antes da decisão daquele negócio que tá no *Supremo* pra decidir, a gente não sabe se é contra ou a favor, mas ele precisava fazer um espetáculo... de pirotecnia. Né? As perguntas foram as mesmas que eu já respondi ao *Ministério Público* e a dois delegados da *Polícia Federal*. Nos meus filhos, eles levaram os mesmos documentos que já tinham levado quando fizeram, sabe, a *invasão* na casa do meu filho. Ah, o único lugar que houve um pouco... foram na casa do *Paulo Okamoto*, foram na casa da *Clara Ant*, sabe? A *Clara* tava dormindo sozinha quando entrou cinco

---

18 Grifos da autora.

homens lá dentro, ela pensou que era um presente de Deus, era a *Polícia Federal*, sabe? Então... (Risos.)

Dilma: (Risos.) Ela pensou que era um presente de Deus? (Risos.)

Lula: Então é isso, *Dilma*, eu acho que foi um espetáculo de pirotecnia. A tese deles é de que tudo que tá acontecendo foi uma quadrilha montada em 2003 e que, portanto, sabe, ela perdura até hoje, sabe? E dentro do *Palácio*, é a tese deles, é a tese deles. Então eles não precisam de explicação. Como a teoria do domínio do fato não precisava de explicação, o crime estava dado, agora é o seguinte: a *imprensa* diz que é criminoso e *eles* colocam em prática. Eu, estou dizendo aqui pro PT, *Dilma*, que não tem mais trégua, não tem que ficar acreditando na luta jurídica, ou seja, nós temos que *aproveitar a nossa militância e ir pra rua*. Eu, sinceramente, que tô querendo me aposentar, eu vou antecipar minha campanha pra 2018, eu vou acertar de viajar esse país a partir da semana que vem, sabe?! E quero ver o que vai acontecer. Sabe, eu, lamentavelmente, vai ser isso, querida. Eu não vou ficar em casa parado.

Dilma: O senhor não acha estranho aquela história de quinta-feira? A *IstoÉ* antecipar... (Interrompida.)

Lula: Eu acho estranho a liberação... a liberação do *Delcídio*, a declaração do *Delcídio*, a *IstoÉ* antecipar, eu acho, ô *Dilma*...

Dilma: E logo no seguinte, na sexta-feira, o senhor ser chamado.

Lula: É um espetáculo de pirotecnia sem precedentes, querida. É o seguinte, eles estão convencidos de que com a imprensa chefiando, sabe, qualquer processo investigatório, eles conseguem refundar a República.

Dilma: É isso aí!

Lula: Nós temos uma *Suprema Corte* totalmente acovardada, nós temos um *Superior Tribunal de Justiça* totalmente acovardado, um *Parlamento* totalmente acovardado, somente nos últimos tempos é que o PT e o PCdoB é que acordaram e começaram a brigar, sabe? Nós temos um *presidente da Câmara* fodido, um *presidente* do *Senado* fodido, não sei quantos parlamentares ameaçados, e fica todo mundo no compasso de que vai acontecer um milagre e que vai todo mundo se salvar. Eu, sinceramente, tô assustado é com a *República de Curitiba*. Porque, a partir de um juiz de primeira instância, tudo pode acontecer nesse país. Tudo pode acontecer.

Dilma: Então era tudo igual o que sempre foi, é?

Lula: Era, a mesma coisa… Hoje eles fizeram uma coisa coletiva, porque foram na casa do *Paulo Okamoto* em Atibaia, eu nem conversei com *Paulo* ainda, foram na casa da *Clara*. Eu tô pensando em pegar todo o acervo, eu vou tomar a decisão, e levar, jogar na frente do *Ministério Público*. Eles que enfiem no cu e tomem conta disso.

Dilma: O acervo de quê?

Lula: Dilma, é um monte de contêiner de tranqueira que eu ganhei quando eu tava na presidência.

Dilma: Ah, dá pra eles! Eu vou fazer a mesma coisa com os meus, viu?!

Lula: Então, é o seguinte, ô, ô, uma hora gostaria de conversar pessoalmente porque eu acho que nós precisamos mudar alguma coisa nesse país.

Dilma: Você não pode...? Quando é que você vai...? (Interrompida.)

Lula: Ontem eu disse o seguinte, a única pessoa... Como é que pode um delegado da Polícia Federal dar uma declaração contra a mudança de ministro?

Dilma: Eu nunca vi isso, eu também nunca vi isso!

Lula: Como é que pode? Ou seja, eu disse pra eles, olha, a única pessoa que está precisando de autonomia nesse país é a *Dilma*, que foi a única eleita, e que não consegue governar por causa do Congresso, não consegue governar por causa do Tribunal de Contas, não consegue governar por causa do Ministério Público, porra! Somente quem está precisando de autonomia é a presidência da República, o resto tudo tem.

Dilma: E quando é que a gente pode conversar?

Lula: Querida, eu tô, eu tô... o nosso companheiro tinha visto a possibilidade de você convocar uma conversa... quando você quiser, meu amor, só não pode ser amanhã, porque amanhã tá muito em cima.

Dilma: Tá bom.

Lula: Mas quando você quiser, eu me disponho.

Dilma: Segunda! Segunda! Segunda! Tá?

Lula: Tá, depois eu acerto com o *galego*, pra mim pode ser.

Dilma: Ele quer falar contigo. Pera lá, ele tá aqui.

Lula: Tá bom.

Jaques Wagner: Diga, excelência!

Lula: Tudo bem, querido?

Jaques Wagner: Tudo bem. Suportou a *encheção* de saco?

Lula: Não houve tortura, vocês é que sofreram mais do que eu, porra!

Jaques Wagner: Não, todo mundo sofre...

Lula: Foi a mesma pergunta de sempre, Wagner, a mesma coisa de sempre.

Jaques Wagner: Foi só pra fazer a cena.

Lula: Eu acho... É até importante você falar com a Dilma que eles quiseram antecipar o pedido nosso que tá na *Suprema Corte*, que tá na mão da *Rosa Weber*.

Jaques Wagner: Entendi.

Lula: Sabe, eles tão tentando antecipar, como eles ficaram com medo de a *Rosa* fosse dar, eles tão tentando antecipar tudo isso... porque ela poderia tirar isso da *Lava Jato*. Então o *Moro* fez um espetáculo pra comprometer a *Suprema Corte*.

Jaques Wagner: Eu acho que não é só isso, não, eles tão querendo criar clima, agora só falam de renúncia, clima pro dia 13. Eu disse ontem, quando saiu a matéria da *IstoÉ*, eu disse: "Amanhã, eles vão fazer alguma putaria com *Lula*".

Lula: Aham.

Jaques Wagner: E terça-feira o *filho da puta* da OAB vai botar aqui, dizendo que o Conselho da OAB acha que nesse caso... É uma palhaçada, porque o *Delcídio*, porra, que eu não imaginei que era tão canalha, porque, porra, ele fala de *Pasadena*, por exemplo, essa porra já foi arquivada pela PGR, fala que você mandou isso, mandou aquilo... porra, tem prova? Vai tomar no cu, eu não sabia que ele era tão escroto! Mas vamos lá...

Lula: Mas viu querido, *ela* tá falando dessa reunião, ô, *Wagner*, eu queria que você visse agora, falar com *ela*, já que *ela* tá aí, falar o negócio da *Rosa Weber*, que tá na mão dela pra decidir. Se homem não tem saco, quem sabe uma mulher corajosa possa fazer o que os homens não fizeram.

Jaques Wagner: Tá bom, falou! Combinado, valeu querido, um abraço. Um abraço na *Marisa* e nos meninos...

Lula: Tá bom, tchau, querido.

Jaques Wagner: Tchau.

Numa ligação para Lula, o prefeito do Rio de Janeiro, Eduardo Paes, presta solidariedade ao ex-presidente após a condução coercitiva do petista por agentes da Polícia Federal, em 4 de março. O diálogo foi no dia 7 do mesmo mês.

Lula: Olha, deixa eu lhe falar uma coisa. Esses meninos da Polícia Federal e esses meninos do Ministério Público, eles se sentem enviados de Deus.

Eduardo Paes: É, mas eles são todos crentes. Os caras do Ministério Público são crentes, né?

Lula: É uma coisa absurda. Uma hora nós vamos conversar um pouco porque eu acho que eu sou a chance que esse país tem de brigar com eles pra tentar colocá-los no seu devido lugar. Ou seja, nós criamos instituições sérias, mas tem que ter limites, tem que ter regras.

Eduardo Paes: É. Não. Passou de todos os limites mesmo. A gente fica com medo de conversar com as pessoas agora [...]. Foda. Mas tamo junto aí, presidente.

Lula: Tá bom. Obrigado, querido.

Eduardo Paes: Meu carinho aí. Tamo junto. Minha solidariedade, vamos em frente nessa história. Agora, da próxima vez o senhor me para com essa vida de pobre, com essa tua alma de pobre comprando esses barcos de merda, sitiozinho vagabundo, puta que me pariu!

Lula: (Risos.)

Eduardo Paes: O senhor é uma alma de pobre. Eu, todo mundo que fala aqui no meio, eu falo o seguinte: imagina se fosse aqui no Rio esse sítio dele, não é em Petrópolis, não é em Itaipava. É como se fosse em Maricá. É uma merda de lugar, porra!

Em uma conversa ocorrida em 2 de fevereiro de 2016, Lula diz ao senador Lindbergh Farias que as investigações da Lava Jato serão "uma farsa" se a delação premiada de executivos da Andrade Gutierrez não citarem os tucanos e o senador Aécio Neves.

Lula: Olha, eu vou contar uma história para você. Se a Andrade Gutierrez, no depoimento deles, na delação… Eu estou falando nesse telefone porque quero ver se a Polícia Federal está gravando… (Risos.) Se a Polícia Federal e o Ministério Público, na delação da Andrade Gutierrez, não aparecer o PSDB nem o Aécio, qualquer brasileiro pode dizer que a delação é uma farsa, uma mentira [...]

Lindbergh: No dia que sair essa delação eu vou com esse discurso! Se não sair, eu vou para cima.

Em 1º de março, Lula afirma a Edinho Silva, ministro-chefe da Secretaria de Comunicação Social, para ele "ficar atento" com crítica sobre a nomeação de Eugênio Aragão. Ele havia acabado de ser nomeado ministro da Justiça.

Lula: Essa é uma coisa que eu queria falar com você, e a outra é o seguinte: é importante você ficar atento, porque vai sair muitas críticas à indicação do novo ministro, com o objetivo de encurralá-lo.

Edinho: É isso… É isso, já começou.

Lula: O objetivo *é* encurralá-lo. Crítica da *Veja*, crítico do *O Globo*, crítica da Globo, crítica… ou seja, no fundo, no fundo, eles querem evitar que qualquer ministro acabe com o vazamento da Polícia Federal.

Edinho: É isso, é isso.

Advogados de José Dirceu fazem elogios a Sérgio Moro em defesa publicada em 5 de maio de 2016. O documento possui 354 páginas.

Não se pode negar a importância da Operação Lava Jato no cotidiano do nosso país. Um juiz de primeiro grau praticamente isolado, com a parca estrutura que tem o Judiciário como um todo, conseguiu, em razão de seu trabalho, de sua seriedade, de sua convicção e de seus ideais, prosseguir com uma operação que praticamente atinge todo o país, envolvendo inúmeros políticos e grandes empresas nacionais.

Todos nós, como brasileiros que somos, não só aplaudimos como esperamos que todo esse esforço não seja em vão. E ao que tudo indica, já não foi. Que se critiquem alguns excessos lá e cá, algumas prisões desnecessárias – como a que ora nos deparamos – e algumas punições exageradas, a verdade é que, de fato, a posição deste magistrado foi relevante e fez toda a diferença para chegarmos aonde chegamos.

O comunicado foi assinado pelos advogados Roberto Podval, Odel Jean Antun, Paula Indalécio, Viviane Raffaini, Carlos Eduardo Nakahara e Ana Caroline Medeiros.

Lula cobrou do juiz Sérgio Moro os prejuízos do Brasil por causa da Operação Lava Jato.

A operação de combate à corrupção é uma necessidade para esse país. Mas é bom vocês se reunirem, fazerem uma pesquisa, porque quando tudo isso terminar pode ter muita gente presa, mas pode ter muito desempregado nesse país.

Empresários falavam que o trabalhador aqui estava muito caro, muito valorizado, mas agora está ficando barato outra vez porque quando tem desemprego, é a primeira coisa que eles fazem: diminuir o salário do trabalhador. Por isso, é preciso mudar a política econômica. Toda vez que se fala em corte, falamos em diminuir a capacidade de investimento do Estado.

Eu sei o que estão fazendo comigo. Mas, eles não sabem que sou um nordestino que não morreu até os cinco anos de idade, escapei da fome, cheguei na presidência. Não vou desistir por meia dúzia de acusações. Continuem acusando.

A luta da classe trabalhadora não é só economicista, isso a gente resolve amanhã. Lutar contra o golpe é hoje.

O momento requer unidade e demanda repúdio a atitudes antidemocráticas que, a pretexto do combate à corrupção, resultaram no suicídio de Getúlio Vargas, em 1954, e na deposição de João Goulart, em 1964.[19]

---

19 Áudios disponíveis em O Globo por meio do link: <http://oglobo.globo.com/brasil/ouca-os-audios-do-grampo-da-policia-federal-no-celular-de--lula-18898755>. Acesso em: 24 de maio de 2016.

BIBLIOGRAFIA

AZEVEDO, Reinaldo. *O país dos petralhas*. Rio de Janeiro: Record, 2009.

_____. *O país dos petralhas II:* o inimigo agora é o mesmo. Rio de Janeiro: Record, 2012.

_____. *Objeções de um rottweiler amoroso*. São Paulo: Três Estrelas, 2014.

CABRAL, Otávio. *Dirceu:* a biografia. Rio de Janeiro: Record, 2013.

CARVALHO, Olavo de. *O mínimo que você precisa saber para não ser um idiota*. Rio de Janeiro: Record, 2013.

CONTI, Mario Sergio. *Notícias do Planalto:* a imprensa e Fernando Collor. São Paulo Companhia das Letras, 1999.

LOBÃO. *Manifesto do Nada na Terra do Nunca*. São Paulo: Nova Fronteira, 2013.

NARLOCH, Leandro. *Guia politicamente incorreto da história da economia brasileira*. São Paulo: Leya, 2015.

_____. *Guia politicamente incorreto da história do Brasil*. São Paulo: Leya, 2012.

_____. *Guia politicamente incorreto da história do mundo*. São Paulo: Leya, 2013.

NARLOCH, Leandro; TEIXEIRA, Duda. *Guia politicamente incorreto da história da América Latina*. São Paulo: Leya, 2013.

VILLA, Marco Antonio. *Década Perdida:* Dez anos de PT no poder. Rio de Janeiro: Record, 2013.

_____. *Mensalão: O julgamento do maior caso de corrupção da história política brasileira*. São Paulo: Leya, 2012.

TIPOGRAFIA	TANDELLE E BEMBO
IMPRESSÃO	IMPRENSA DA FÉ